D0707994

DUMONTS KLEINE

FIETSEN

LEXICON

TYPES • TECHNIEK • TOCHTEN

Tobias Pehle & team

© 2007 Rebo International b.v.

Deze uitgave: © 2007 Rebo Productions b.v., Lisse

www.rebo-publishers.com

info@rebo-publishers.com

Concept en realisatie: Medien Kommunikation, Unna, Duitsland

Tekst: Tobias Pehle

Vertaling: Textcase, Hilversum, Céline Jongert

Omslag: Minkowsky visuele communicatie, Enkhuizen

ISBN 978-90-366-2028-4

Inhoud

Voorwoord

DE VEELZIJDIGE WERELD VAN DE FIETS

Een klein lexicon als dit kan uiteraard niet pretenderen recht te doen aan de enorme wereld van de fietssport. Er zijn wereldwijd meer dan duizend fabrikanten die honderdduizenden producten vervaardigen, van het allerkleinste onderdeel tot complete fietsen. En daar komen nog de vele accessoires en een breed spectrum aan sportkleding bij.

In de fietssport maken we onderscheid tussen de wedstrijdsport met zijn hoogst geavanceerde fietsen en gespecialiseerde renners en de recreatieve sport, waaraan iedereen kan deelnemen: van beginnende fietsertjes en enthousiaste sporters tot senioren. Zij brengen allen graag hun vrije tijd door op twee wielen.

En tot deze doelgroep richt dit boek zich. Het is geen lexicon voor experts die geïnteresseerd zijn in de allerlaatste technische snufjes. Dit boek gaat in op aspecten van de fietssport uit het alledaagse leven. We behandelen de verschillende type fietsen met de voor- en nadelen, de gangbare termen die van pas komen bij de aanschaf van een nieuwe fiets en de basisregels van de wielersporten die op televisie worden uitgezonden. We willen u vooral algemeen inzicht en basiskennis geven.

Het accent ligt bij de voorlichting omtrent de aanschaf van een nieuwe fiets. Niet aan de hand van testen of waarderingscijfers, maar met als uitgangspunt principiële vragen als: welke fiets past bij mij? Waar moet ik op letten? Wat heb ik niet nodig? Om u een overzicht van de markt te geven, stellen we u bovendien kort de belangrijkste fabrikanten voor.

Maar fietsen is geen wetenschap. Het draait in de eerste plaats om het plezier in beweging, gezond leven en het eropuit trekken in de vrije natuur. Hiervan getuigen ook de foto's in dit boek. Ze tonen de betovering die uitgaat van het fietsen en het tot een van de geliefdste sporten heeft gemaakt.

Fietsen is meer dan een wijze om je voort te bewegen. Het is vooral een aantrekkelijke manier om de wereld te ontdekken. Daarom sluiten we af met een reeks portretten van de mooiste fietslanden van Europa. Op meer dan vijftig bladzijden stellen we u de interessantste fietstochten voor, van het hoge noorden van Scandinavië tot het zuidelijkste puntje van Spanje. Misschien krijgt u ook wel zin om op het zadel te springen en op ontdekkingstocht te gaan.

We wensen u dan ook veel plezier bij het lezen en fietsen.

Plezier op twee wielen

Natuurlijk onderweg

TECHNIEK DIE OVERTUIGT

Twee wielen, twee pedalen, twee handvatten – zo eenvoudig kan techniek zijn. Twee voeten om te trappen, twee handen om te sturen en twee ogen om te kijken: en zo eenvoudig kan het zijn om gezonder te leven en plezier te hebben.

Misschien is dit ook wel een verklaring voor de aantrekkingskracht die uitgaat van het fietsen. Over de hele wereld – van Azië over Europa tot Amerika – maakt de fiets 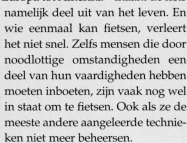 namelijk deel uit van het leven. En wie eenmaal kan fietsen, verleert het niet snel. Zelfs mensen die door noodlottige omstandigheden een deel van hun vaardigheden hebben moeten inboeten, zijn vaak nog wel in staat om te fietsen. Ook als ze de meeste andere aangeleerde technieken niet meer beheersen.

Fietsen is dan ook meer dan een vorm om je voort te bewegen: het is een stukje levensfilosofie en ontspanning. Het onderweg zijn in

de frisse lucht, het zich voortbewegen middels eigen spierkracht en het directe contact met de natuur zijn allemaal even belangrijk als het zich verplaatsen van punt A naar punt B.

Juist in de huidige – door jachtigheid en stress gekenmerkte – tijd biedt de fiets een perfecte mogelijkheid om te ontspannen. Dat veel mensen dit zo ervaren, blijkt wel op een mooie, zomerse dag als honderdduizenden er met de fiets op uittrekken. Weer even diep ademhalen doen we tijdens het fietsen naast lichamelijk ook geestelijk.

TECHNIEK EN LIFESTYLE

Niet alleen het fietsen maar ook de fiets zelf oefent op velen van ons een grote aantrekkingskracht uit. De prachtige fietsen van tegenwoordig zijn vaak meer dan een praktisch vervoersmiddel – het zijn statussynbolen die worden bewonderd en gekoesterd. Ze fascineren door de waardevolle materialen en perfecte montage, de hoogmoderne techniek en hippe designs.

Over de hele aardbol sleutelen heel wat mensen vol overgave aan hun fiets: van tieners en knutselaars, die ongewone tweewielers construeren, tot specialisten die in kleine smederijen een volmaakte fiets vervaardigen. Zo ontstaat een ongelooflijk veelzijdig beeld: van een eenwieler, een racefiets of mountainbike, een tandem of trikebike (driewielige fiets) tot een kinder- of seniorenfiets – alleen al het standaardaanbod is overweldigend.

Wie een nieuwe fiets wil kopen, ziet zich dan ook geconfronteerd met een enorm aanbod aan fascinerende fietsen en de beste onder hen kosten evenveel als een kleine motorfiets.

Gezond en fit op twee wielen

Wie regelmatig fietst, leeft gezonder dan andere mensen. Studies hebben aangetoond dat fietsen niet alleen een positieve uitwerking heeft op de spieren, maar het ook helpt doeltreffend ziekten te voorkomen – zelfs daar, waar je het niet zou verwachten. Zo is bijvoorbeeld aangetoond dat het risico op borstkanker bij vrouwen die ten minste drie uur per week fietsen met eenderde afneemt.

Daarnaast voorkomt u gangbare gezondheidsproblemen als rugpijn of hart- en vaatziekten. De lichamelijke activiteit die met het fietsen gepaard gaat, verlaagt het risico op een hartinfarct met meer dan vijftig procent. Tijdens het fietsen wordt de hartslag namelijk hoger, het pompvermogen wordt na een bepaalde tijd regelmatiger en de bloeddruk daalt.

Een ander effect is dat het schadelijke LDL-cholesterol, dat verantwoordelijk is voor de verkalking van de bloedvaten, wordt afgebouwd en tegelijkertijd neemt de hoeveelheid nuttig HDL-cholesterol toe. Door het fietsen worden de spieren sterker zonder dat het lichaam daarbij te zwaar wordt belast.

Terwijl u bijvoorbeeld bij het hardlopen of voetballen uw hele lichaamsgewicht moet meeslepen, wordt tijdens het fietsen zeventig tot tachtig procent van het gewicht gedragen door het zadel. Zo bouwt u spieren op zonder uw gewrichten daarbij op de proef te stellen.

Voor een positieve uitwerking op de gezondheid is de juiste houding doorslaggevend. Als het frame is afgestemd op uw lichaamslengte en het stuur en zadel juist zijn afgesteld, zult u een optimale houding kunnen aannemen. Het lichaam is daarbij licht naar voren gebogen en de rug- en buikspieren zijn iets aangespannen.

Het regelmatige rondtrappen van de pedalen traint voornamelijk de spieren rond de lendenwervels. Bovendien wordt een beroep gedaan op de spieren bij de rugwervels die verder weinig worden getraind. Ook voor de wervelkolom is fietsen gunstig, aangezien de tussenwervelschijven door de beweging soepeler worden en zo minder snel zullen beschadigen. Daarnaast worden tijdens het fietsen de kniegewrichten bewogen. De toevoer van voedingsstoffen wordt zo gestimuleerd waardoor het kraakbeen wordt gespaard.

Daarnaast blijft het uiteraard belangrijk dat u verstandig omspringt met uw lichaam. U mag uw lichaam ook tijdens het fietsen niet te zwaar belasten. Als u na een langere pauze – bijvoorbeeld na de winter – weer op de fiets stapt, mag u niet te veel van uw lichaam vergen en moet u de verslapte spieren eerst weer langzaam opbouwen.

Besteed ook aandacht aan juiste kleding. Door de lichamelijke inspanning gaat u transpireren en het lichaam koelt door de luchtstroom (vooral bij snelle afdalingen) snel af, hetgeen al gauw tot infecties kan leiden. Ondanks dat fietsen het immuunsysteem bevordert, blijft het raadzaam om ademende kleding te dragen waardoor de huid kan ventileren.

DE WIELERSPORT

Er is waarschijnlijk geen andere sport die de laatste jaren zo negatief in het nieuws is geweest als de professionele wielersport. Kennelijk nam menig wielrenner, coach of arts zijn toevlucht tot onzuivere methoden om de prestaties op te voeren. Ze schrikten daarbij niet terug hun gezondheid op het spel te zetten en een hele sporttak in diskrediet te brengen. En nog steeds is niet elke wedstrijd schoon. Toch zegt dat alleen iets over individuele sporters en niets over

de sport zelf. Veel mensen zijn geboeid door de wielersport. Honderdduizenden toeschouwers omzomen de straten van de Tour de France, de Giro d'Italia of de Vuelta a España – om slechts de bekendste wielerevenementen te noemen. Ze klappen met recht voor de geweldige prestaties van de topsporters, hun kracht, bezieling en kundige techniek.

Deze prestaties zijn er grotendeels voor verantwoordelijk dat de wielersport de afgelopen jaren explosief in populariteit is gestegen. Daarnaast is de mediagerichte commercialisering van deze sport een verklaring voor de betekenis van de wielersport. Bovendien hebben hoog-waardige technische ontwikkelingen die aanvankelijk alleen waren bedoeld voor de topsport, zoals ergonomische sturen of vernuftige remsystemen, inmiddels hun weg naar de massamarkt gevonden en zij dragen actief bij aan meer rijplezier.

Maar de wielersport bestaat uit meer dan alleen de Tour de France en soortgelijke wielerwedstrijden. Onder de mountainbikers, BMX-profs of fietspolospelers zijn ontelbare faire sporters die minder in de schijnwerpers staan dan de wielrenners. Desalniettemin dragen zij hun sport een warm hart toe en beoefenen zij hem zoals hij is bedoeld; als een fascinerende mogelijkheid om hun leven te verrijken.

Veiligheid gaat voor

VEILIG ONDERWEG

Fietsers staan in het wegverkeer bloot aan een hoger risico. In tegenstelling tot de auto heeft hun vervoersmiddel geen kreukelzones of airbags. Daarom besteden we extra aandacht aan het thema veiligheid. Daarbij gaan we zowel in op rijgedrag van de fietser als op de fiets zelf.

DE VERKEERSVEILIGHEID

In alle Europese landen bestaan regels waaraan een fiets moet voldoen om deel te mogen nemen aan het openbare verkeer. Helaas zijn de regels niet uniform. De verschillen beperken zich doorgaans tot details zoals de lichtsterkte van de reflectoren. In vrijwel alle landen gelden minimaal de volgende eisen:

▶ Het rijwiel moet over twee gescheiden remsystemen beschikken, te weten een voorwiel- en achterwielrem. De beide systemen moeten intact zijn.

▶ De fiets moet over verlichting beschikken, waaronder een witte voorlamp en een rode achterlamp. Bovendien zijn een witte reflector voor en een rode reflector achter verplicht. Sommige landen schrijven daarnaast ook twee gele reflectoren aan de spaken van zowel het voor- als het achterwiel en gele reflectoren aan de zijkant van de pedalen voor.

▶ De fiets dient altijd een bel te hebben. Ook al vinden tieners fietsverlichting of een bel vaak overbodig of niet *cool*, ze zouden toch goed moeten bedenken dat deze voorschriften enkel en alleen hun eigen veiligheid dienen. Wie met een onveilige fiets deelneemt aan het verkeer, snijdt zich dus in eerste plaats in zijn eigen vingers. Bovendien zouden verzekeringsmaatschappijen bij een ongeval met een fiets die niet volgens de voorschriften is uitgerust, kunnen weigeren uit te betalen.

Naast de wettelijk voorgeschreven uitrusting is er een hele reeks andere maatregelen die de veiligheid ten goede komen. Daartoe behoren vooral een gesloten kettingkast, jasbeschermers, slipvrije pedalen, fietsvlaggen voor kinderfietsen, een slipvrij zadel en automatische verlichting met standlicht.

TIEN TIPS: VEILIG FIETSEN

▶ Stap alleen op de fiets als u zich fit voelt. U kunt alleen veilig rijden als u geconcentreerd en oplettend bent. Om zeer vermoeid of dronken op de fiets te stappen, is niet verantwoord.

▶ Fiets alleen op een verkeersveilige fiets. Vooral de remmen moeten naar behoren functioneren, maar ook de verlichting moet intact zijn. Onderwerp ze regelmatig aan een controle.

▶ Draag een fietshelm. Een ongeluk zit in een klein hoekje. In het geval van een ongeval beschermt een goed zittende helm het hoofd doeltreffend. Maar alleen als hij goed zit en precies past.

▶ Rijd vooral bergaf niet te snel. Door de snelheid verliezen de banden de grip op het wegdek en neemt het reactievermogen snel af. Zelfs met goede remmen heeft de fiets langer nodig om tot stilstand te komen.

▶ Doe het rustig aan. Als u tijdens het fietsen de grens van uw prestatievermogen bereikt, neemt automatisch het concentratievermogen af en neemt dus ook de kans op ongelukken toe. Pauzeer liever iets vaker en jakker het traject niet af.

▶ Plan uw fietsroute zo veel mogelijk over fietspaden of rustige wegen. De meeste ongelukken met fietsers gebeuren op druk bereden wegen buiten de bebouwde kom of in de verkeerschaos van de stad.

▶ Probeer ver vooruit te kijken. Als fietser bent u eenvoudiger over het hoofd te zien dan als automobilist. Houd vooral bij kruisingen in.

▶ Bevestig tassen en andere bagage op een veilige manier. Door de extra bagage verplaatst het zwaartepunt zich en is het lastiger om de fiets onder controle te houden. Gebruik veilig bevestigde manden of fietstassen of draag een rugzak.

▶ Gaat u met meerdere mensen op pad, rijd dan achter elkaar en niet naast elkaar. Houd voldoende afstand.

▶ Gebruik geen koptelefoons. U hoort zo de naderende auto's niet aankomen en bovendien zijn koptelefoons in het verkeer in sommige landen wettelijk verboden.

De geschiedenis

VAN HOGE BI TOT MODERNE FIETS

Als we bedenken dat het wiel al duizenden jaren voor onze jaartelling werd uitgevonden, is het verwonderlijk dat het nog zo lang zou duren voordat iemand op het idee kwam een fiets te maken. Pas in de negentiende eeuw begonnen Europese uitvinders met de constructie van de tweewielers.

We beschouwen de loopfiets uit 1817 doorgaans als de allereerste voorloper van de moderne fiets. De houtvester Karl von Drais presenteerde in dat jaar in Mannheim de later naar hem vernoemde draisine.

Voor de aanleiding van zijn uitvinding bestaan meerdere theorieën. Volgens een van de theorieën zou Von Drais door het teruggetrokken bestaan in de biedermeiertijd veel tijd hebben gehad voor zijn liefde om te knutselen.

Een andere theorie verdedigt de stelling dat een reeks mislukte oogsten in de periode van 1812 tot 1817 de ontwikkeling zouden hebben bespoedigd. Er was amper genoeg graan om voldoende brood te bakken voor de bevolking. Het graan, dat ook als voedsel diende voor de paarden die de koetsen trokken, was veel te duur. Von Drais zou

daarom op zoek zijn gegaan naar alternatieve transport-
middelen die het zonder paarden konden stellen.

De loopfiets van Von Drais was een sensatie omdat
men hiermee een traject veel sneller en met minder inspanning kon afleggen dan te voet. De berijder zat daarbij op
het gevaarte en zette zich met zijn voeten af tegen de
grond. Aangezien de constructie zijn gewicht droeg, was
deze wijze van voortbewegen veel minder vermoeiend
dan lopen.

De berijder stuurde met een hendel die was verbonden met het voorwiel en kon zo sturen zonder met zijn voeten de grond te raken. Hij hield zich in evenwicht door zijn ellebogen op een armsteun te leggen en zijn gewicht te verplaatsen.

Toch bleek de draisine geen groot succes. De wegen waren nog erg slecht en daarnaast waren de met trappers aangedreven fietsen reeds in opkomst – ten opzichte van deze fietsen was de draisine te langzaam en te duur.

Halverwege de negentiende eeuw ontwierp de Franse wagenmaker Pierre Michaux een tweewieler met trappers. Deze aandrijving was niet nieuw, want al in de middeleeuwen gebruikten handwerkers met pedalen aangedreven slijpstenen. Met de vélocipède van Michaux, die later de naam 'Michauxline' kreeg, kwam men nog sneller en eenvoudiger vooruit dan met de draisine, aangezien men zich niet meer hoefde af te zetten tegen de grond.

Maar erg comfortabel was hij ook niet. Om de fiets iets comfortabeler te maken, maakte Michaux het achterwiel kleiner. Het zadel plaatste hij vervolgens boven het achterwiel op een beugel, die de grootste schokken moest opvangen. Dat zijn aanpassing niet veel effect had, blijkt wel uit de bijnaam 'Boneshaker' (bottenschudder) die de fiets in Engeland kreeg.

Een nevenaspect van deze vering bleek echter van groot belang voor de verdere ontwikkeling van de fiets: als het aandrijfwiel groter wordt, kan men bij een gelijk aantal trapbewegingen een grotere afstand afleggen. Deze constatering leidde tot de bouw van de hoge bi. Het voorwiel van de hoge bi is beduidend groter dan het achterwiel en vereiste velgen met lichte draadstalen spaken. Als uitvinder van deze hoogwieler geldt de Engelsman James Starley.

In extreme gevallen bedroeg de diameter van het voorwiel twee meter. Dankzij het grote wiel, de kogellagers en de massief rubberen banden was een maximumsnelheid van 40 kilometer per uur haalbaar. Deze snelheid was niet geheel ongevaarlijk want het zwaartepunt van de fiets bevond zich heel hoog, vrijwel direct boven het voorwiel. Valpartijen, soms zelfs fataal, waren dan ook aan de orde van de dag en fabrikanten zagen zich genoodzaakt cursussen aan te bieden om veilig te leren op- en afstappen.

Toch was de hoge bi erg populair, aangezien ook de gewone man zich nu 'hoog te paard' kon verplaatsen. Uiteindelijk grepen de autoriteiten in. Een tijdlang werd een rijbewijs voor de fiets verplicht gesteld en werd het rijden op openbare wegen verboden. Rond 1860 begonnen de fietsfabrikanten met de productie van lage fietsen.

Om het verlies in snelheid door de kleinere wielen te compenseren, ontwikkelde de Franse horlogemaker André Guilmet in 1869 een fiets waarbij de pedalen zich niet aan het voorwiel bevonden, maar zoals bij de huidige fietsen aan het frame. De krachtoverbrenging vond plaats via een ketting op het achterwiel.

In 1884 stelde John Kemp Starley, neef van de uitvinder van de hoge bi, zijn veiligheidsfiets Rover voor. Deze fiets had eveneens een ketting die was verbonden met het achterwiel en werd al gauw uiterst geliefd. Uiteindelijk verdreef hij de laatste hoge bi's en Michauxlines.

Van de Rover, die al verbluffend veel op de moderne fiets lijkt, tot aan de huidige technische standaard was het niet meer ver. En deze stappen werden snel gezet. In 1888 vond de Britse dierenarts John Boyd Dunlop de luchtband uit. Dankzij de luchtbanden werd het fietsen een stuk comfortabeler. Een jaar later, in 1889, kreeg A.P. Morrow patent op het vrijwiel dat de Duitser Ernst Sachs eerder al had ontwikkeld.

Dankzij de industriële massaproductie werden fietsen, die toen relatief gezien haast even duur waren als tegenwoordig een kleine auto, voor steeds meer mensen betaalbaar.

In de decennia daarna werd de fiets weliswaar steeds verder verbeterd en werden technische speeltjes toegevoegd zoals de cardanas, maar het basisontwerp van de fiets – frame, wielen, pedalen, zadel, stuur – is tot op vandaag eigenlijk niet veranderd.

Type fietsen

De juiste fiets

OVERZICHT VAN DE VERSCHILLENDE TYPE FIETSEN

Een leek die zich wil oriënteren op een nieuwe fiets wordt overweldigd door het enorme aanbod van de meest uiteenlopende fietsen, die aanzienlijk verschillen in techniek en design maar vooral ook in prijs. We kunnen de markt opsplitsen in verschillende types die we vervolgens in de onderstaande groepen kunnen indelen.

FIETSEN VOOR DAGELIJKS GEBRUIK

Hieronder vallen alle fietsen die geschikt zijn voor dagelijks gebruik en die met name zijn ontworpen voor ritten op geasfalteerde wegen en fietspaden of vergelijkbaar vlakke en stevige ondergronden. Tot deze groep behoren in de eerste plaats de zogeheten stadsfietsen of citybikes en de toerfietsen. We zouden deze fietsen ook standaardfietsen kunnen noemen.

In deze categorie vallen naast de standaardfietsen ook de recreatiefietsen, zoals de vakantiefietsen of randonneurs voor het maken van langere toertochten, en de trackingfietsen voor incidentele ritten over minder vlakke of onverharde wegen. Bijzondere fietsen in deze groep zijn de transportvriendelijke vouwfietsen en de ligfietsen waarop de berijder zich niet rechtop maar liggend verplaatst.

Sportfietsen

Tot deze groep fietsen behoren vele uiteenlopende types die zijn ontworpen voor de verschillende wielersporten. De belangrijkste fietsen in deze categorie zijn de racefietsen die zijn bedoeld om hoge snelheden mee te behalen en de mountainbikes voor ruig en oneffen terrein. De BMX-fiets vormt een subgroep van de mountainbikes. Het aanbod in deze fietsen is groot – en dit niet alleen voor de wedstrijdsporter maar ook voor de recreatieve gebruiker.

Tevens is er een reeks specialistische fietsen zoals baanfietsen voor competities op wielerbanen of de kunstfiets voor het artistieke kunstfietsen.

Speciale fietsen

Naast de fietsen voor dagelijks gebruik en de fietsen voor specifieke sportdoeleinden biedt de markt een groot assortiment speciaal ontworpen fietsen. Of het nu een tandem voor een tochtje met zijn tweeën is, de speciale fiets voor de postbode of de fiets voor gehandicapten – al deze fietsen zijn geoptimaliseerd voor een bepaalde groep gebruikers of een bijzondere functie.

Fietsen met trapbekrachtiging

De laatste groep omvat fietsen die zowel op de gebruikelijke wijze als ook met ondersteuning van een motor kunnen worden voorbewogen. Ook hier onderscheiden we verschillende constructies.

Op de volgende bladzijden beschrijven we de belangrijkste fietstypes. Het accent ligt daarbij op toerfietsen die geschikt zijn voor het dagelijks gebruik. Daarna stellen we u kort de belangrijkste fabrikanten voor.

Aangezien er wereldwijd duizenden bedrijven zijn die fietsen, componenten of accessoires vervaardigen, hebben we ons geconcentreerd op de bedrijven die over een groot internationaal verkoopnet beschikken en een zeker marktaandeel hebben.

Toerfiets

DAGELIJKS FIETSPLEZIER

Eenvoudige gebruiksfietsen worden in de vaktaal vaak met toerfietsen of stadsfietsen aangeduid. Ze zijn niet ontworpen om door de bergen te rijden of om zeer hoge snelheden mee te behalen. Doel is om de eigenaar veilig en comfortabel van A naar B te brengen.

Het aanbod is groot. Goede merkloze fietsen van dit type zijn soms al voor amper honderd euro te krijgen, vaak bij doe-het-zelfwinkels of discountzaken. Maar deze fietsen verschillen doorgaans aanzienlijk van de merkfietsen. Niet zelden zijn ze gemaakt van de eenvoudigste onderdelen en ook de afnerking laat vaak te wensen over.

De enorme kwaliteitsverschillen hebben hun weerslag op de veiligheid, het fietsplezier en de levensduur van de fiets. Vooral onervaren klanten zouden zich dus goed moeten laten voorlichten. De meeste criteria die bij de keuze en aanschaf van een toerfiets van toepassing zijn, gelden overigens ook voor de tracking- en vakantiefietsen.

Het juiste frame

Voor meer fietsplezier bij een geringe belasting van de spierkracht is de hoogte van het frame doorslaggevend. De hoogte wordt gemeten vanaf het midden van de trapas tot de bovenkant van de zitbuis. De framemaat is niet alleen afhankelijk van de lichaamslengte maar ook van de beenlengte, dat wil zeggen gemeten vanaf de grond tot aan het kruis. De fietsenhandelaar kan helpen de juiste framehoogte te bepalen. De framemaat wordt aangegeven in inches.

Voor het rijgedrag van de fiets, de levensduur en de veiligheid van het frame spelen de gebruikte materialen en afwerking een beslissende rol.

Stadsfietsen worden doorgaans aangeboden in twee varianten: met een frame van staal met speciale legering en met een aluminiumframe. Een stalen frame is beduidend zwaarder, maar heeft een hogere belastbaarheid. Aluminium maakt de fiets lichter, maar het frame is iets minder stevig. Als u de fiets niet vaak hoeft te tillen – bijvoorbeeld naar de kelder – is een aluminiumframe dan ook niet automatisch de betere keus.

DE ZITPOSITIE

Tijdens het fietsen speelt de juiste zitpositie een belangrijke rol. Deze wordt niet alleen bepaald door het frame, maar ook door het zadel en het stuur. Zadel en stuur moeten op de fietser worden afgesteld, zodat er bij volledige beenstrekking voldoende speelruimte overblijft.

HET STUUR

De keuze van het stuur is van invloed op het stuurgedrag van de fiets en dus ook op het fietsplezier. Er bestaan verschillende sturen die tegemoetkomen aan de persoonlijke wensen. Voor een urenlange fietstocht over slechte wegen is bijvoorbeeld een speciaal gekromd stuur beter geschikt dan een recht stuur dat beslist pijnlijke polsen zal opleveren.

Als vuistregel geldt dat het stuur niet breder zou moeten zijn dan de schouders van de fietser en moet kunnen worden afgesteld op zijn zitpositie. Mocht u toch druk voelen op uw schouders of polsen, dan zou u bij uw fietsenhandelaar kunnen informeren naar alternatieven.

Het zadel

Als u incidenteel een fietstocht maakt, is het raadzaam te kiezen voor een comfortabel zadel dat een goede houding mogelijk maakt. Hoe meer gewicht op het zadel rust – zoals bij stads- en toerfietsen – hoe breder het zadel moet zijn. Een goede vering mag evenmin ontbreken. Ook extra schuimrubber of gelkussentjes vergroten het comfort. Zelfs als u alleen korte afstanden aflegt op de fiets, draagt het comfort bij aan een ontspannen houding. Een ongerieflijke fiets kan de gewrichten ook bij korte afstanden belasten. Hoe sportiever de fiets, des te kleiner het zadel. Zo is bij racefietsen het zadel heel smal. Het grootste deel van het lichaamsgewicht rust op de armen van de renner en een breed zadel zou alleen hinderlijk zijn.

De versnelling

In de reclame van de fabrikanten spelen vaak fietsen met veel versnellingen een belangrijke rol. Voor een toerfiets volstaan minder echter ook. Meer dan zeven versnellingen zijn voor normaal gebruik in het dagelijks leven niet nodig. U hoeft in de meeste gevallen immers geen bijzonder hoge bergen te beklimmen of als een wielrenner door het normale verkeer te racen. Toch zijn modellen met 24 versnellingen in de fietswinkel geen uitzondering.

Bedenk goed of u deze allemaal echt nodig hebt, aangezien de goedkopere uitvoeringen kwetsbaarder zijn dan fietsen met minder versnellingen. Bij hoogwaardige derailleurs – zo noemt de vakman het versnellingsapparaat – hoeft u echter ook bij veel versnellingen geen echte problemen te verwachten. Maar kwaliteit kent ook hier zijn prijs.

DE REMMEN

Sluit voor de remsystemen geen compromissen. Ze moeten altijd goed functioneren en ook in onverwachte situaties de fiets abrupt tot stilstand kunnen brengen. Bij stadsfietsen wordt doorgaans de klassieke velg- en terugtraprem gebruikt. Veel modellen beschikken over twee velgremmen, een voor en een achter.

Als u echter bent opgegroeid met een terugtraprem, zou u kunnen overwegen om te kiezen voor de andere variant: een handrem voor en een terugtraprem achter. Bij kwalitatief goede fietsen zijn beide remsystemen gelijkwaardig.

Naast de standaardremmen biedt de handel talrijke speciale systemen aan die door verschillende technische eigenschappen uitblinken, maar waaraan ook nadelen zijn verbonden. Ze zijn bovendien beduidend duurder. Laat u bij de aanschaf dan ook goed voorlichten.

BANDEN EN PROFIEL

Ook de bandenkeuze is van invloed op het rijplezier. Hiervoor geldt de volgende vuistregel: hoe smaller en gladder de band, des te sneller hij rijdt. Brede banden met grote noppen minderen weliswaar de vaart maar zorgen voor aanzienlijk meer grip. Daarom hebben racefietsen heel dunne en mountainbikes daarentegen heel dikke banden. De beste keuze voor toerfietsen is een compromis met een relatief glad profiel en een breedte van 25 tot 30 millimeter.

De uitrusting

Toerfietsen zijn doorgaans van alle onderdelen voorzien die door het verkeersreglement zijn voorgeschreven. Maar uiteraard zijn er wel grote onderlinge verschillen met betrekking tot het verlichtingssysteem en de dynamo. Handig zijn lampen met halogeenlicht, omdat die een feller licht verspreiden. Bij moderne fietsen gaat het licht niet meteen uit zodra de fiets tot stilstand komt, maar brandt het nog even door. Zo bent u ook goed zichtbaar als u voor een stoplicht wacht.

Bedenk dat met een stadsfiets vaak kleine vrachten worden vervoerd. Bij de aanschaf van een fiets zou u kunnen informeren of er speciale opzetstukken of manden voor de fiets bestaan. Elke extra last heeft namelijk invloed op het rijgedrag van de fiets. Bovendien hebben wiebelende of fout gemonteerde manden nadelige gevolgen voor de veiligheid.

Trackingfiets

OVER ONVERHARDE WEGEN

Voor de fietser die bij voorkeur over geasfalteerde wegen fietst maar zich ook niet laat afschrikken door een minder goed verhard bospad, een onregelmatige steenslagweg of een zandpad, biedt de trackingfiets uitkomst. Deze fiets is een geslaagde combinatie tussen een stevige mountainbike en een comfortabele stadsfiets, die dankzij de technische veelzijdigheid op elk terrein een goed figuur slaat.

Voor de nodige stabiliteit zorgt een massief frame dat doorgaans van staal is. Bovendien worden zijn eigenschappen nog door speciale legeringen verbeterd. Maar ook bij dit fietstype treffen we aluminium aan als bouwmateriaal, aangezien het zeer licht is en niet roest.

Voor meer fietskwaliteit en -plezier is een hoogwaardige versnelling met een goede overbrenging doorslaggevend. De meeste trackingfietsen hebben 21 versnellingen. Zo heeft de fietser zowel op de weg als op oneffen terrein een optimale uitgangspositie.

Opdat de fiets op oneffen terrein net zo veilig kan worden gebruikt als op geasfalteerde wegen, beschikt hij doorgaans over wielen van 28 inch met banden van gemiddeld
35 millimeter breed. Deze hebben veel profiel voor een betere wegligging.

Vooral met betrekking tot de banden zijn er grote verschillen. Voor fietsers die overwegend gebruikmaken van
goede verbindingswegen is de keuze voor banden met een
gladder profiel zinvoller. Hiermee wordt het fietsen in de
stad eenvoudiger.

Het remsysteem bestaat uit de – van de mountainbikes
bekende – cantileverremmen die in bergachtig terrein een

gecontroleerde rijstijl mogelijk maken. Traditionele velgen-
remmen zijn vanwege de dikkere banden van de trackingfiets niet aan te bevelen.

Aangezien dit type fiets is ontworpen voor uiteenlopende terreinritten, mogen niet alle modellen deelnemen
aan het normale wegverkeer. Bij deze modellen ontbreken
de verlichting, de reflectoren en het spatbord. Wilt u een trackingfiets ook in het normale wegverkeer gebruiken, dan
moet u er dus op letten dat de fiets compleet is uitgerust.

Vakantiefiets

Op reis

Een spannende vakantie hoeft u niet persé met de trein of auto te ondernemen maar kan ook direct voor uw voordeur beginnen met uw eigen fiets. Voor een afstand van honderden kilometers hebt u echter een fiets nodig die bijzonder belastbaar en technisch hoogwaardig is. De handel biedt speciale vakantiefietsen of randonneurs die over alle belangrijke eigenschappen beschikken.

Deze fietsen onderscheiden zich door een stabiel frame, ze zijn eenvoudig te repareren en bieden ook op lange trajecten voldoende comfort. Zelfs korte bergetappes kunt u moeiteloos de baas dankzij de hoogwaardige versnellingen en de smalle banden die soepel over het wegdek glijden.

Aangezien vakantiefietsen vaak veel bagage moeten dragen, moeten ze uiterst belastbaar zijn. De frameconstructie is dan ook zeer stevig en bestaat uit dunwandige buizen zonder naden. Omdat het niet op hoge snelheid aankomt, mogen deze fietsen best zwaarder zijn. Het meest gebruikte materiaal is dan ook staal dat door middel van speciale legeringen extra stevigheid en een grote soepelheid heeft.

De geometrie van het frame lijkt op die van de andere fietstypen. De wielbasis bedraagt tussen 103 en 105 centimeter – daarmee is de fiets goed wendbaar maar spoort hij ook goed. Tevens beschikt hij over uitstekende dempingeigenschappen.

Een betere ligging in de bochten heeft echter een nadelig effect op het rijgedrag van de fiets omdat hij in zijn geheel gevoeliger reageert. De grote afstand tussen de voor- en achteras biedt ruimte voor het spatbord en de dynamo en er is zo ook voldoende ruimte tussen de pedalen en het voorwiel. De voeten hebben daardoor meer bewegingsruimte en raken minder snel het spatbord of de bagage.

De framehoek van randonneurs is zeer laag waardoor het zadel iets naar achter verschuift. De zitpositie is zo weliswaar aangenamer, maar het betekent tevens dat er bij klimtochten meer kracht moet worden gezet.

De meeste recreatiefietsen hebben 24 versnellingen met drie kettingbladen en acht tandkransen. Hierdoor is de fietser tijdens zijn tocht flexibeler en kan hij de frequentie van de trapbewegingen aanpassen aan de situatie. Maar de vakantiefiets is niet gebonden aan een bepaalde versnelling en is dankzij zijn constructie ook met de techniek uit het domein van de racefiets of mountainbike te combineren.

In principe is uw rijstijl doorslaggevend, maar bedenk wel dat zware tochten eenvoudiger te doorstaan zijn met een flexibele versnelling. Over zwakke punten in het materiaal hoeft u zich geen grote zorgen te maken. Vanwege de kwalitatief hoogwaardige fabricage zijn goede vakantiefietsen wel beduidend duurder dan normale stadsfietsen.

Vakantiegangers hebben behoefte aan goede en voldoende mogelijkheden voor bagage. Meestal zijn er stevige dragers aan de voor- en achterkant en speciale opbouwmogelijkheden voor stuurtassen. De belasting op het achterwiel is bij dit type fiets door de framegeometrie en de bagage duidelijk hoger. De stevigheid van de 28 inch wielen

wordt veiliggesteld door middel van stabiele spaken. Aangezien vakantiefietsen niet willen concurreren met de mountainbikes is hun geschiktheid voor terreinritten niet groot.
De banden zijn daarom maar 25 millimeter breed en hebben
een relatief glad profiel zonder grote noppen.

Kinderfiets

Fietsplezier van meet af aan

Fietsen is voor kinderen veel meer dan een activiteit waaraan ze plezier beleven. Het is ook een uitdaging waarvan ze groeien en veel leren. Daarnaast draagt fietsen in belangrijke mate bij aan de motorische en geestelijke ontwikkeling. Het coördinatievermogen wordt geoefend, het evenwichtsgevoel ontwikkeld en de oplettendheid scherper. En natuurlijk bevordert het fietsen – zoals ook voor volwassenen geldt – een gezondere levensstijl.

Maar om deze positieve effecten te bereiken moeten kinderen op een optimale fiets rijden. Belangrijk is dat ze zich veilig en in overeenstemming met hun leeftijd kunnen bewegen met hun tweewielers. Ze zijn nog niet volgroeid en een verkeerde houding, bijvoorbeeld door een onjuiste framemaat of niet juist afgesteld zadel of stuur, heeft veel verregaandere gevolgen dan bij volwassenen.

VEILIGHEID VOOROP

Bij alle activiteiten met de fiets moet vooral bij kinderen het thema veiligheid voorop staan. Dit geldt zowel voor het gedrag in het wegverkeer als voor de fiets zelf. De volgende drie basis-regels moeten daarom altijd in acht worden genomen:

▶ De kinderfiets moet in optimale toestand verkeren. Alleen als alles naar behoren functioneert en de remmen perfect werken is optimale veiligheid gegarandeerd.

▶ Kleinere kinderen mogen niet zonder begeleiding van een vol-wassene deelnemen aan het openbare-wegverkeer. Als vuist-regel geldt dat kinderen pas op achtjarige leeftijd qua psychologi-sche ontwikkeling in staat zijn de verkeerssituatie goed te bevatten en in te schatten. Met name de snelheid van andere voertuigen kunnen jongere kinderen niet goed inschatten.

▶ Kinderen zouden niet zonder helm moeten fietsen. Deze helm moet goed passen, anders gaat de vermeende bescherming al gauw in rook op.

DE EERSTE FIETS

Voor kleine kinderen vormt fietsen een bijzondere uitdaging. Dit blijkt wel uit hun trotse gezichtjes als ze de eerste meters zonder hulp hebben gefietst. Het nut van zijwieltjes is daarbij omstreden: sommige experts zijn van mening dat de gewenning aan deze wieltjes de verdere ontwikkeling van het leren fietsen in de weg staat.

DE KWALITEIT VAN DE FIETS

Veilig en robuust – dat zijn de twee belangrijkste eisen voor een kinderfiets. Deze eisen staan en vallen met de kwaliteit van de fiets. De fiets heeft dan ook bij kinderen en met name bij tieners behoorlijk wat te verduren. En vergeet niet dat ook een kinderfiets uit honderden onderdelen is opgebouwd.

In principe geldt dat goedkopere kinderfietsen zelden over de kwaliteit beschikken die voor fietsplezier, veiligheid en lange levensduur onmisbaar is. Bij de keuze voor de juiste fiets zijn vooral de volgende criteria van belang:

▶ De fiets moet over een stevig en goed frame beschikken, bij voorkeur van staal.

▶ Het gewicht van de fiets mag niet te hoog zijn zodat het kind een betere controle over de fiets heeft.

▶ De remmen moeten eenvoudig te bedienen zijn en snel reageren. Vooral voor jongere kinderen heeft de terugtraprem de voorkeur, aangezien ze nog niet over voldoende kracht beschikken om de handrem krachtig aan te trekken en de fiets snel tot stilstand te brengen.

▶ De banden moeten een veilige rijstijl mogelijk maken, ofwel een goed profiel en de juiste breedte hebben.

▶ Bij jongensfietsen mag de bovenbuis nog niet te hoog zijn zodat jongens eenvoudiger kunnen op- en afstappen.

De handel deelt de fietsen in naar wielmaat: 12 tot 20 inch zijn bedoeld voor kleine kinderen en 20 tot 26 inch voor oudere kinderen. Doorslaggevend voor de wielmaat is de lichaamslengte en beenlengte. Het is voor het kind zeer vermoeiend als hij niet goed met zijn voeten bij de pedalen kan of ver vooroverbogen moet zitten omdat de afstand tussen stuur en zadel te groot is.

Kleine fietsen hebben nog geen versnelling, voor grotere fietsen zijn zeven versnellingen voldoende. Het kind moet de schakelaar kunnen bedienen zonder de hand van het stuur te nemen.

Voor kinderen tot veertien jaar is een mountainbike beperkt aan te bevelen. De cantilever-remmen en versnelling vereisen kracht en inspanning. Ook is het belangrijk dat de mountainbike in het normale weg-verkeer bruikbaar is.

Ouders moeten de staat van de kinderfiets regelmatig controleren. Let daarbij niet alleen op beschadigingen of mankementen, maar controleer ook of zadel en stuur nog steeds juist zijn afgesteld.

Bekende fabrikanten met een compleet aanbod

DE GROTE FIETSFABRIKANTEN

Onder de fabrikanten van recreatieve fietsen zoals toer- of kinderfietsen zijn vrijwel geen gespecialiseerde bedrijven. De bekende merken bieden doorgaans het complete assortiment aan en produceren alle soorten fietsen: van fietsen voor de allerkleinsten en damesfietsen tot sportfietsen. De belangrijkste onder hen zijn:

GIANT

ASSORTIMENT: als een van de grootste fietsfabrikanten wereldwijd biedt de Taiwanese fabrikant op design georiënteerde fietsen in alle soorten: van kinder- en damesfietsen, mountainbikes en BMX-fietsen tot hoogst gespecialiseerde racefietsen. Componenten en accessoires vervolmaken het zeer complete aanbod.

GESCHIEDENIS: het bedrijf werd in 1972 opgericht in Tachia, Taiwan en

nam al begin jaren tachtig deel aan de
productie van carbonfietsen en legde zo
de grondslag voor zijn succes. In 1986
opende het bedrijf zijn eerste vestiging
in Lelystad, waar ook fietsen worden
geproduceerd. De onderneming is nu
in haast alle landen van Europa vertegenwoordigd. Giant sponsort onder
andere het T-Mobileteam.

ADRES: Giant Europe B.V.
t.a.v. drs. R.C. Kammeraat,
Pascallaan 66,
8218 NJ Lelystad
info@giant-europe.com
www.giant-bicycles.com

TREK BICYCLE CORPORATION

ASSORTIMENT: de Amerikaanse producent is een van de
grootste fietsfabrikanten wereldwijd en biedt het totale spectrum aan, inclusief accessoires. Tot het bedrijf Trek Bicycle
Corporation behoren talrijke zelfstandige merken zoals
Arrow, LeMond, Diamant of Bontrager.

GESCHIEDENIS: Trek, zoals de onderneming in wieler-
kringen heet, kan bogen op talrijke successen in de wielersport. Zo reed Lance Armstrong op een Trekbike naar zijn
overwinningen in de Tour de France. Het hoofdkantoor
bevindt zich in Waterloo, Wisconsin.

ADRES: Trek Bicycle Corporation,
801 West Madison Street,
Waterloo, WI 53594, USA
consumer-help@trekbikes.com, www.trekbikes.com

CANNONDALE

ASSORTIMENT: de onderneming
behoort tot de grootste fietsproducenten van Noord-Amerika en biedt alle
soorten fietsen aan met bijpassende
accessoires. Accent ligt op handgemaakte fietsen.

GESCHIEDENIS: in 1971 begon de
oprichter van de firma Joe Montgome-
ry met de productie van fietsaanhan-
gers. Het bedrijf groeide binnen enkele
decennia uit tot een wereldonderne-
ming met vestigingen in Europa, Azië
en heel Noord-Amerika. Racespecia-
listen uit alle landen waarderen de
hoogwaardige montage en eersteklas
onderdelen die worden gebruikt.

ADRES: Cannondale Bicycle Corp.,
16 Trowbridge Drive, Bethel,
CT 06801, USA
custserv@cannondale.com,
www.cannondale.com

CORRATEC

ASSORTIMENT: het Duitse Corratec beschikt over een compleet assortiment van mountainbikes en racefietsen tot fietsen voor triatleten. Maar ook de gemiddelde fietser vindt onder de stadsfietsen of trackingfietsen een passende fiets. Het aanbod omvat verder componenten als sturen, banden, binnenbanden en pedalen. Voor exclusievere wensen levert het bedrijf carbonframes op maat die Mauro Sannino met de hand vervaardigt voor Corratec.

GESCHIEDENIS: hoewel het een relatief jonge onderneming is, is de IKO Sportartikel Handels GmbH met zijn merk Corratec tegenwoordig internationaal actief en zowel in de

topsport als in de wedstrijdsport vertegenwoordigd. De geschiedenis van het bedrijf
begon in 1989 met de oprichting van een fiets-
werkplaats in Rosenheim, Beieren. Sindsdien
kreeg het bedrijf meerdere onderscheidingen,
zoals in 2005 voor de toen lichtste trackingfiets
ter wereld. Met de fietsen zijn talrijke wedstrijden gewonnen. Tegenwoordig produceert
de in heel Europa actieve onderneming jaarlijks ongeveer 50.000 fietsen.

ADRES: IKO Sportartikel Handels GmbH,
Kufsteinerstrasse 72,
D-83064 Raubling
info@corratec.com, www.corratec.com

GAZELLE

ASSORTIMENT: deze Nederlandse onderneming heeft
een compleet aanbod met een duidelijk accent op familie-
fietsen, met name de toer- en recreatiefietsen. Gazelle produceert echter ook off-roadbikes voor een overwegend jonge
doelgroep.

GESCHIEDENIS: in het meer dan honderdjarig bestaan heeft
Gazelle ruim 12 miljoen fietsen geproduceerd. Hiermee is
Gazelle in alle opzichten een van de succesvolste en bekendste
fietsmerken. Rudolf Arentsen en Willem Kölling begonnen in
1892 met de import van fietsen vanuit Engeland. In 1902 richtten ze hun eigen bedrijf op onder de naam Gazelle. Meer dan

honderd jaar vond de productie plaats in Dieren maar inmiddels wordt het grootste deel van de jaarproductie van meer dan 350.000 fietsen gerealiseerd in het Verre Oosten.

ADRES: Koninklijke Gazelle N.V., Wilhelminaweg 8, 6951 BP Dieren info@gazelle.nl, www.gazelle.nl

RALEIGH

ASSORTIMENT: het aanbod van dit Engelse bedrijf reikt van kinderfiets tot kinderzitje en van damesfiets tot BMX-fiets.

GESCHIEDENIS: dit reeds in 1887 opgerichte bedrijf trok in de jaren zeventig van de twintigste eeuw met zijn Raleigh Chopper de aandacht in heel Europa. Deze fiets luidde een nieuw tijdperk in voor wat betreft het design van fietsen. In de jaren dertig produceerde het bedrijf ook motorfietsen en kleine voertuigen. Nu is Raleigh vooral in het Verenigd Koninkrijk een van de belangrijkste fietsproducenten.

ADRES: Raleigh UK Ltd.,
Church Street, Eastwood, Nottingham NG 163HT, Groot-
Brittannië
raleigh@raleigh.co.uk, www.raleigh.co.uk

SCOTT

ASSORTIMENT: fietsen vormen een van
de belangrijkste productgroepen van deze
Amerikaanse sportartikelenfabrikant. Het
accent ligt op bijzonder lichte en op design
gerichte fietsen.

GESCHIEDENIS: het succesverhaal van
Scott begon in 1958 met de uitvinding van
de aluminium skistok. Scott vestigde in
1989 de aandacht van de fietswereld op
zich, toen Greg Lemond in een uiterst spannende finale van de Tour de France met
slechts acht seconden voorsprong won – en
niet op de laatste plaats door zijn geavanceerde, aërodynamische Scott-stuur.

ADRES: Scott Sports,
PO Box 2030,
Sun Valley, ID 83353, USA
bikesupport@scottusa.com
www.scottusa.com

KETTLER

ASSORTIMENT: van stadsfiets en mountainbike tot trackingfiets: het aanbod van Kettler is veelomvattend. Ook kinderen en tieners hebben de keuze tussen meerdere modellen. Wat voor de fietsen geldt, geldt ook voor de accessoires. De sortering reikt van kinderzitjes, tassen en manden tot montagestandaards en ophangsystemen.

GESCHIEDENIS: de Duitse onderneming werd in 1949 door Heinz Kettler opgericht. Kettler kreeg in 1960 grote bekendheid dankzij de Kettcar, een speelauto met pedaalaandrijving. In de jaren zestig legde Kettler zich toe op de productie van fietsen. Terwijl vanaf 1969 aanvankelijk nog kinder, jeugd- en vouwfietsen het assortiment bepaalden, trok het bedrijf in 1977 de aandacht met zijn eerste aluminium fiets voor de breedtesport. De 'alu-fiets' is ook tegenwoordig nog het handelsmerk van het bedrijf. Hoewel Kettler nu op de internationale markt ook buiten de grenzen van Europa actief is, vertrouwt de onderneming tot op vandaag op 'Made in Germany'. Van de achttien fabrieken staan er tien, waaronder ook het centrale bedrijf, in Ense in Westfalen.

ADRES: Heinz Kettler GmbH & Co. KG,
Hauptstr. 28,
D-59469 Ense-Parsit
contact@kettler.net, www.kettler.net

HERCULES

ASSORTIMENT: overeenkomstig het devies een familie-
merk te zijn, heeft Hercules voor elke leeftijdscategorie en
vrijwel elke recreatiesport een fiets. Het aanbod loopt van
comfortabele stadsfietsen en fitness- en trackingfietsen voor
sportliefhebbers tot plaatsbesparende vouwfietsen. Fietsen
voor kinderen vanaf zes jaar tot tieners vervolmaken het
assortiment. Alleen naar racefietsen en mountainbikes voor
extreem terrein zult u tevergeefs zoeken.

GESCHIEDENIS: Hercules is een van de traditierijkste Duitse fietsfabrikanten. Het bedrijf werd in 1886 in Nürnberg opgericht door Carl von Marschütz, aan wie het ook zijn naam te danken heeft. Marschütz werd namelijk vanwege zijn woeste verschijning ook wel 'Hercules' genoemd. De firma maakte vroeger niet alleen fietsen maar was ook bekend om zijn motoren. In 1999 verhuisde het concern van de oude locatie Nürnberg naar Neuhof an der Zenn en concentreert zich sindsdien op de productie van fietsen. De fietsen worden in het Hongaarse Toszeg geproduceerd.

ADRES: Hercules-Fahrrad GmbH & Co. KG,
Industriestr. 32-40,
D-90616 Neuhof an der Zenn
info@hercules-bikes.de, www.hercules-bikes.de

ORBEA

ASSORTIMENT: Orbea is de grootste Spaanse fietsfabrikant met een compleet aanbod en is ook internationaal vertegenwoordigd. Naast fietsen voor de recreatiesport produceren ze met succes voor de wielrennersport.

GESCHIEDENIS: Orbea begon zijn weg in 1840 als familiebedrijf. Vanaf 1930 concentreerde het aan de Golf van Biskaje gevestigde bedrijf zich op de productie en ontwikkeling van fietsen en ontwikkelde zich binnen tien jaar met een bezetting van duizend medewerkers tot de marktleider van de binnenlandse markt. De medewerkers van Orbea delen mee in de winst van de jaarlijks ruim 250.000 verkochte fietsen.

ADRES: Orbea
Polígono I. Goitondo
E-48269 Mallabia
orbea@orbea.com, www.orbea.com

PUKY

ASSORTIMENT: de specialiteit van Puky is de productie van kinderfietsen. Van step en kinder- of tienerfiets, Go-Cart, driewieler en handkar tot de accessoires: bij Puky is alles afgestemd op de jongste consumenten. Met name de veiligheid staat hierbij centraal. Door speciaal op kinderen afgestemde features zoals drie remmen of een standlichtfunctie wordt rekening gehouden met de bijzondere bescherming die de jongste verkeersdeelnemers nodig hebben.

GESCHIEDENIS: sinds zestig jaar produceert de Duitse onderneming kindervoertuigen. Tot 1956 rol-

den de producten onder de naam PUCK van de band. Sinds 1960 is Puky in Wülfrath gevestigd. Tegenwoordig heeft de firma ongeveer honderd medewerkers in dienst en produceert Puky jaarlijks circa 370.000 voertuigen. Deze worden vooral in Duitsland en Zwitserland, maar ook in Amerika en Azië verkocht.

Adres: Puky GmbH & Co. KG,
Fortunastrasse 11,
D-42489 Wülfrath
info@puky.de, www.puky.de

SCHAUFF

ASSORTIMENT: met zijn mountainbikes, race- en trackingfietsen beschikt
Schauff over een compleet aanbod. Het
bedrijf produceert ook tandems en speciale modellen voor zeer kleine of cor-
pulente personen. De fietsen voor
kleine mensen hebben extreem korte
cranks en de fietsen voor de zwaarlij-
vigen staan een belasting tot 200 kilo
toe.

GESCHIEDENIS: sinds 1932 worden
onder de naam Schauff fietsen geproduceerd. De onderneming kwam oorspronkelijk uit Keulen en vestigde zich
later in Remagen. Na de Tweede Wereldoorlog reageerde Schauff op de trends in
de fietswereld: vouwfietsen, high-riser
en in 1977 de eerste BMX-fietsen en tandems. Begin jaren tachtig volgden de
eerste mountainbikes; de Schauff Offro-
ad-Cup in 1985 was de eerste mountain-
bikewedstrijd in Duitsland.

ADRES: Fahrradfabrik Schauff
GmbH & Co. Kg,
In der Wässerscheid 56,
D-53424 Remagen
info@schauff.de, www.schauff.de

EXTENS S.A.S

ASSORTIMENT: dit Franse merk verkoopt kinderfietsen, mountainbikes, trackingfietsen, racefietsen, RTB's en stadsfietsen. Daarnaast houdt het bedrijf zich bezig met BMX-fietsen, dirtbikes en trails.

GESCHIEDENIS: MBK, dat tot de Yamahagroep behoort, is een typisch Frans handelsmerk. De ontwikkeling, productie en verkoop zijn sinds 1 juli 2007 in handen van de Franse firma Extens SAS. De nadruk ligt op teambegeleiding: elke afdeling leidt met succes zijn eigen team van triathlon, down-hill, X-country en trial tot wielrennen.

ADRES: Extens Quality Products, Z.I. de Morcourt, F-02100 Saint Quentin extens@extens.fr, www.extens.fr

WINORA

ASSORTIMENT: Winora Staiger GmbH voorziet met zijn merken in het volledige spectrum aan fietsmodellen. Het aanbod omvat alles van stads- en trackingfietsen, crossfietsen tot de vouwfietsen en all-terrainbikes. Bij het merk Haibike vinden BMX-rijders net zo goed een passende fiets als wielrenners of mountainbikers. Daarnaast is er een 'Kids Line'. Voor klanten die een exclusiever product wensen, biedt

Sinus Fahrrad GmbH Bikes maatwerk. Ook Sinus voorziet met tracking-, vakantie-, comfort- en racefietsen in een breed aanbod.

GESCHIEDENIS: vanaf 1914 maakte de wielrenner Engelbert Wiener in Schweinfurt individuele fietsen met de hand. Slechts vier jaar later groeide de fietsmanufactuur uit tot een groothandel. Halverwege de jaren vijftig verlieten jaarlijks circa 6000 fietsen de fabriek. In 1988 nam het concern Staiger uit Stuttgart het bedrijf over en nog eens negen jaar later sloten ze zich aan bij het concern Derby Cycle. Uiteindelijk stapte de onderneming in 2002 van Derby Cycle over naar de Accell Group. Tegenwoordig bestaat de Winoragroep uit meerdere merken: Winora en Staiger als fietsmerken, Bike-Parts als vakhandelspartner voor de fietsdetailhandel en Haibike. Met dit sportmerk ondersteunt de onderneming sinds 2006 een mountainbiketeam met jong talent.

ADRES: Winora-Staiger GmbH,
Max-Planck-Str. 6,
D-97526 Sennfeld
info@winora.de, www.winora.de

PEUGEOT

ASSORTIMENT: het historische Franse merk zet tegenwoordig in op een kleine maar uitgelezen sortering van mountainbikes en tracking- en tienerfietsen.

GESCHIEDENIS: twee wielen met een verschillende diameter (voorwiel: 1,35 meter, achterwiel: 0,40 meter), een hefboomrem en op de voornaaf gemonteerde pedalen: zo zag in 1882 de eerste fiets van Peugeot eruit – de zogeheten Grand Bi. De uitvinding van Armand Peugeot was revolutionair voor de geschiedenis van de tweewieler. Na de twee wereldoorlogen, waarin beslag was gelegd op de werkplaatsen en deze waren gebombardeerd, bleek een nieuwe start moeilijk. Peugeot werd geherstructureerd en ontwikkelde nieuwe populaire modellen. Tegenwoordig legt het merk zich toe op kwalitatief hoogwaardige en innovatieve recreatiefietsen.

ADRES: Automobiles Peugeot,
DCFP/MOES/FRC,
14/16 Bd. De Douaumont,
F-75017 Parijs
info@cycles.peugeot.fr,
www.cycles.peugeot.fr

KOGA

ASSORTIMENT: de Nederlandse onderneming biedt hoogwaardige handgemaakte fietsen uit de productgroepen racefietsen, mountainbikes, trackingfietsen, recreatiefietsen, toerfietsen en electrofietsen. Ook maken ze accessoires.

GESCHIEDENIS: sinds meer dan dertig jaar staat Koga, dat een fusie is aangegaan met Miyata, voor hoogwaardige fietsen. In 1974 werd het bedrijf opgericht door Andries Gaastra. De bedrijfsnaam Koga is een samenstelling van de beginletters van de naam van

zijn vrouw (Kowalik) en die van zijn eigen naam.

ADRES: Koga B.V.,
Postbus 167,
8440 AD Heerenveen
info@koga.com, www.koga.com

UTOPIA

ASSORTIMENT: Utopia biedt fietsen voor ontspannen en gemoedelijk fietsplezier met toer-, vouw-, lig-, tracking- of stadsfietsen die allemaal naar de persoonlijke wensen van de klant kunnen worden gebouwd. Mountainbikes en racefietsen maken geen deel uit van het assortiment.

GESCHIEDENIS: de Duitse onderneming werd in 1982 opgericht in Frankfurt am Main. Een van de grootste successen boekte het bedrijf al in 1984, toen de Duitse fietsbond het model Möwe tot fiets van het jaar uitriep. In 1986 vestigde Utopia zich in Saarbrücken. Elf jaar later verhuisde het bedrijf opnieuw, nu naar een groter pand aan de rand van Saarbrücken.

ADRES: utopia velo GmbH,
Kreisstrasse 134 f,
D-66128 Saarbrücken
info@utopia-velo.de, www.utopia-velo.de

MÜSING

ASSORTIMENT: Müsing heeft zich toegelegd op de productie van hoogwaardige fietsen die beantwoorden aan individuele wensen. Naast racefietsen bouwen ze ook cross- en mountainbikes. De klant kan zijn eigen fiets naar wens samenstellen in combinatie met componenten van andere fabrikanten.

GESCHIEDENIS: eind jaren tachtig van de twintigste eeuw werden de eerste fietsen onder de naam Müsing geproduceerd. De eerste modellen waren van aluminium.

Aangemoedigd door successen tijdens wedstrijden werd de productie uitgebreid met frames voor mountainbikes. Sinds 2001 beschikt Müsing over een compleet productieaanbod.

ADRES: Müsing GmbH,
Zum Acker 1,
D-56244 Freirachdorf
info@muesing-bikes.de, www.muesing-bikes.de

AARIOS

ASSORTIMENT: dit selecte Zwitserse bedrijf biedt een compleet aanbod van autopeds tot sportieve trackingfietsen en hoogwaardige recreatiefietsen. De klanten slaan de fietsen met handgebouwd frame hoog aan omdat rekening wordt gehouden met exclusieve designwensen.

GESCHIEDENIS: Aarios werd in 1930 als coöperatie van fietshandelaars opgericht. Reeds in 1932 bracht men de firma over in een naamloze vennootschap. In 1946 nam Franz Horlacher de onderneming over en leidde het dertig jaar lang. Tot 1981 was de firma gevestigd in Aarau. In 1982 verhuisde Aarios naar een nieuw gebouw in Gretzenbach in het kanton Solothurn.

ADRES: Aarios AG,
Unterer Schachen 2,
CH-5014 Gretzenbach
aarios@aarios.ch, www.aarios.ch

Racefiets

HIGH SPEED OP DE WEG

Bij de wielrensport draait alles om hoge snelheid en grote wendbaarheid. Hiervoor is een fiets nodig die zich door een minimaal gebruik aan materiaal en de juiste techniek bijzonder nauwkeurig laat berijden: de meeste racefietsen beschikken over een ongeveer vijftig tot zestig centimeter groot diamantframe dat is te herkennen aan de klassieke driehoeksvorm.

Als materiaal voor de buizen wordt doorgaans staal gebruikt, aangezien het goedkoop en zeer stevig is. Maar intussen wordt ook aluminium, carbon en titanium gebruikt. Deze grondstoffen hebben verschillende voor- en nadelen en doorgaans een hogere prijs. Combinaties of speciale legeringen worden zelden toegepast.

Het frame heeft een korte wielstand van ongeveer honderd centimeter en een korte achterbouw. Deze zorgt ervoor dat de racefiets zeer aërodynamisch is doordat de renner zijn bovenlichaam ver voorover moet buigen en het zwaartepunt van de fiets naar voren wordt verplaatst. Het hoge zadel versterkt dit effect nog eens. Het zadel bevindt zich in doorsnee tien centimeter boven het stuur, is ongeveerd, lang en zeer smal. Deze vorm voorkomt dat de binnenkant van de dijen kapot schuren.

Voor het besturen van een racefiets bestaan speciale, zeer smalle racesturen die verschillende handposities toestaan. Bij tijdritten worden om aërodynamische redenen speciale opzetstukken gebruikt met steunen voor de onderarmen zodat de renner een ver naar voren gebogen houding aanneemt. Het gebruikelijke klikpedalensysteem zorgt bij de demarrage voor een veilige steun voor de voeten.

De ongeveer 27 inch grote wielen zijn uitgerust met smalle, gemiddeld twintig millimeter brede banden met binnenband of draadbanden en beschikken over relatief weinig spaken voor een betere luchtweerstand. Nog in de jaren tachtig werden in de wielersport alleen banden met binnenband gebruikt, maar draadbanden hebben dankzij hun bijzonder goede prestaties en hun geringe gewicht steeds meer terrein gewonnen en overtuigen inmiddels ook de professionele sporters. Bij de profrenners worden ook de hoge velgen steeds geliefder. Deze hebben een hoge stijfheid maar zijn wel iets zwaarder.

De traditionele indexschakeling van een racefiets beschikt over zestien tot twintig versnellingen met twee kettingbladen en acht tot tien tandkransen. Intussen bestaan er echter ook uitvoeringen met drie kettingbladen en daarmee meer versnellingen. Door smallere kettingen die een hoger aantal tandkransen toestaan, zijn bovendien de overbrengingsmogelijkheden bij de racefiets ruimer geworden.

Vanwege de hoge snelheid worden bijzonder krachtige remmen ingezet die snel en betrouwbaar reageren. Dit is zinvol omdat steeds meer wielerwedstrijden op zeer smalle wegparkoersen plaatsvinden.

Bij de racefietsen kunnen we onderscheid maken tussen de fietsen voor de ambitieuze recreatiesporter en die voor de professionele wielrenner. De markt biedt een zeer groot spectrum aan fietsen in verschillende prijsklassen. Gunstige basismodellen zijn al voor een paar honderd euro te koop – eersteklas racefietsen kosten duizenden euro's. De kwaliteitsverschillen zijn op alle fronten merkbaar – van het materiaal en techniek tot aan het design. Bij de aanschaf van een racefiets is een gefundeerd, vakkundig advies dan ook erg belangrijk dat vooral ook rekening houdt met de financiële mogelijkheden van de klant.

Aangezien tijdens het fietsen vaak zeer hoge snelheden worden behaald, verdient het thema veiligheid extra aandacht. En dat geldt niet alleen voor de stevigheid of de remsystemen. U beweegt zich in het openbarewegverkeer en zou daarom moeten letten op een veilige uitrusting – ook al lijkt dit ten koste van de snelheid of het design te gaan.

Exclusieve racefietsfabrikanten

GROTE NAMEN — GROTE FABRIKANTEN

Veel grote fabrikanten met een compleet aanbod kennen we van beroemde wielerwedstrijden als de Tour de France. Zo rijden de profcoureurs van het T-Mobileteam bijvoorbeeld op Giantfietsen. Wie een kwalitatief hoogwaardige fiets voor privégebruik zoekt, zal bij deze fabrikanten (zie blz. 62 tot 82) eenvoudig iets vinden. Daarnaast zijn er echter ook kleine maar soms wereldberoemde exclusieve racefietsconstructeurs.

CERVÉLO

ASSORTIMENT: Cervélo is een Canadese fabrikant van uitzonderlijke racefietsen en heeft daarnaast als off-roadspecialist met zijn triatlonfietsen een wereldnaam. In de recentere fietsgeschiedenis baarde Cervélon bovendien steeds opnieuw opzien met baanbrekende constructies.

GESCHIEDENIS: de onderneming werd in 1995 door Phil White en Gérard Vroomen opgericht en bracht korte tijd later het eerste carbonframe met een gewicht van minder dan een kilo op de markt.

De wereldwijd actieve fabrikant is leverancier van het Team CSC en kan bogen op meer dan dertig overwinningen bij de Ironman, de zwaarste triatlonwedstrijd ter wereld.

ADRES: Cervélo Cycles Inc.,
171 East Liberty Street,
Toronto, On, M6C 3P6, Canada
info@cervelo.com, www.cervelo.com

CINELLI

ASSORTIMENT: de historische Italiaanse onderneming is gespecialiseerd in racefietsen. Cinelli biedt niet alleen complete fietsen aan, maar ook frames en met name sturen. Andere componenten en toebehoren voltooien het aanbod.

GESCHIEDENIS: in 1948 richtte de ervaren profrenner Cino Cinelli het bedrijf op. In de loop van zijn bestaan zette Cinelli enkele uitstekende innovaties in de wielersport op zijn naam. Het bedrijf ontwikkelde met name nieuwe sturen maar ook de toeclips zijn aan Cinelli te danken. Jarenlang leverde Cinelli de frames voor alle topcoureurs.

ADRES: Groep SPA – Div. Cinelli,
Via G. Di Vittorio 21,
I-20090 Caleppio di Settala (MI)
info@cinelli.it, www.cinelli.it

DE ROSA

ASSORTIMENT: het Italiaanse De Rosa is onbetwist de meest toonaangevende fabrikant van raceframes en racefietsen. Tegenwoordig biedt het bedrijf ook damesfietsen aan. Het aanbod omvat tevens accessoires.

GESCHIEDENIS: het succesverhaal van Eddy Merckx is ondenkbaar zonder Ugo de Rosa. De in 1934 geboren Italiaan bouwde de racefietsen waarop Eddy een wereldreputatie verwierf. De onderneming wordt nu door de zonen van De Rosa geleid en produceert zo'n 8000 frames per jaar.

ADRES: Ugo De Rosa & Figli Srl,
Via Bellini n. 24,
I-20095 Cusano Milanino, (MI)
info@derosanews.com, www.derosanews.com

BRUCE GORDON CYCLES

ASSORTIMENT: handgebouwde racefietsen

GESCHIEDENIS: Bruce Gordon Cycles is
een eenmanszaak en staat symbool voor
alle kleine fabrikanten overal ter wereld. Ze
worden geleid door enthousiaste individu-
en die op zoek zijn naar de perfecte fiets. En
hoe onbetekenend dit ook mag lijken: ooit
begonnen de meeste wereldfirma's ook zo.

ADRES: Bruce Gordon Cycles, 409
Petaluma Boulevard South, Suite B,
Petaluma, Ca 94952, USA
contact@bgcycles.com
www.bgcycles.com

COLNAGO

ASSORTIMENT: Italiaanse racefietsspeci-
alist, vooral bekend om zijn Ferrarifietsen.

GESCHIEDENIS: Ernesto Colnago was in
de jaren vijftig succesvol als wielrenner en

begon na zijn wielerloopbaan eigen fietsen te ontwikkelen. Zijn voor Ferrari gemaakte fietsen gelden als bijzonder hoogwaardig.

ADRES: Colnago Ernesto e C. srl, Viale Brianza, 7/9, 20040 Cambagio (MI), I
info@colnago.com, www.colnago.com

FAGGIN

ASSORTIMENT: Faggin is een Italiaanse specialist van hoogwaardige frames. Tegenwoordig omvat het assortiment vooral frames voor racefietsen. Maar Faggin biedt ook baanfietsen en modellen voor trackingfietsen en mountainbikes.

GESCHIEDENIS: direct na de Tweede Wereldoorlog richtte Marcello Faggin in het Italiaanse Udine een werkplaats voor frames op. Korte tijd daarna verhuisde de firma naar Padua. Sindsdien is hier is de producent van Faggin gevestigd. Elk frame wordt afzonderlijk bewerkt.

ADRES: FAGGIN Deutschland GmbH, Lobbericher Str. 79, 47929 Grefrath, D
info@faggin.de, www.faggin.de

Mountainbike

DOOR BERGEN, BOSSEN EN WEILANDEN

Sommige fietsers vinden het niet spannend genoeg om over verharde wegen, veld- of steenslagwegen te rijden. Zij hebben behoefte aan meer avontuur en willen zich niet laten leiden door vastgelegde wegen maar rijden liever offroad – liefst langs steile bergpassen of door modderige bossen. Hiervoor ontwikkelden handige knutselaars in Amerika de mountainbike die sinds de jaren tachtig ook in Europa steeds populairder werd.

De rijeigenschappen worden mogelijk gemaakt door de speciale techniek. De 26 inch velgmaat met knobbelige ballonbanden garanderen door hun enorme breedte ook op moeilijk terrein de nodige grip. En dankzij de 18 tot 27 versnellingen, die over drie kettingbladen met zeven tot negen tandkransen beschikken, is de biker ook in staat de lastigste hellingen te beklimmen.

Voor de noodzakelijke belastbaarheid zorgt een stevig frame dat vaak van aluminium en carbon wordt gemaakt en in vergelijking tot andere types fietsen vijf tot tien centimeter lager is. Vanwege de gevaarlijke bergpistes die met de mountainbikes worden gereden, is de remkracht van cruciale betekenis. Vaak worden hiervoor de effectieve V-remmen gebruikt, maar ook hydraulische schijfremmen vinden steeds vaker toepassing voor dit type fiets.

Omdat de mountainbike ook in netelige situaties veilig moet kunnen worden bestuurd, beschikt het over een speciaal stuur dat bijzonder recht en breed is. De geschiktheid voor off-roadgebruik van de mountainbike wordt daarnaast ook bepaald door de gebruikte veringsystemen. De voorvering behoort tot de standaarduitrusting en inmiddels beschikken ook veel modellen over een geveerde achtervork.

Deze versie wordt in vaktaal een fully (full suspension) en de eerste een hard tail genoemd. Volledig geveerde mountainbikes kunnen echter ook problemen geven en vereisen meer onderhoud. Binnen de mountainbikefamilie bestaan de

meest uiteenlopende modellen die geschikt zijn voor verschillende disciplines. De belangrijkste zijn de cross-countrymountainbike, de all-mountainbike en de downhillmountainbike. Daarnaast zijn er de enduromountainbike, de four-cross- en de freeridemountainbike.

Voor het gebruik in minder heuvelachtig terrein is de cross-countrybike het meest geschikt. Hij heeft een relatief laag gewicht en heeft doorgaans alleen een geveerde voorvork. Met deze mountainbike kan de rijder snel rijden op onverharde wegen.

De all-mountainbike is voor langere trajecten in bergachtig terrein ontworpen. Het gewicht van de fiets speelt hierbij een meer ondergeschikte rol. Speciale aandacht gaat uit naar veiligheid en comfort. De rijder heeft een rechtere fietshouding en de fiets heeft een betere grip.

Bijzonder snel is de downhillmountainbike, die ook op moeilijk terrein eenvoudig is te berijden. Vanwege zijn hoge belasting beschikt hij over een stevig frame en is daardoor zwaarder dan andere modellen. Omdat ook de remkracht erg groot moet zijn, beschikken deze fietsen over schijfremmen met een grote diame-

ter. Gezien zijn uitrusting is deze mountainbike, zoals de naam downhill (bergaf) al doet vermoeden, eigenlijk alleen voor steile afdalingen geschikt.

Hoewel de mountainbike aanvankelijk werd ontwikkeld als echte sportfiets, is hij met name onder jongeren erg populair. Doorslaggevend hiervoor zijn ongetwijfeld ook zijn sportieve design en robuuste karakter. Het aanbod is dan ook erg groot. Maar juist bij mountainbikes voor privégebruik is het belangrijk om te letten op goede materialen, een goede montage en vooral op een verkeersveilige uitrusting.

BMX

BORN TO BE WILD

De jonge wildebrassen onder de sportfietsers interesseren zich niet voor weg- of baanwedstrijden maar willen met hun fiets spectaculaire tricks laten zien, in een half-pipe vliegen of over heuvelachtige pistes denderen. Hiervoor maken zij gebruik van de BMX-fiets die vanwege zijn speciale constructie niet geschikt is voor gewone fietstochtjes.

In de BMX-sport onderscheiden we twee disciplines: race en freestyle.

Race: dit is de oorspronkelijke discipline van dit type fiets. De afkorting BMX staat voor Bicycle Motorcross en heeft betrekking op de gelijknamige motorsport. Bij een race rijden BMX-fans spannende wedstrijden op kleine, heuvelachtige trajecten. Deze variant is vooral bij jongeren geliefd.

Freestyle: bij de freestyle gaat het niet om de snelheid maar laten de bikers met hun fiets zo veel mogelijk tricks zien. Hiervoor is vooral handigheid, een goed evenwichtsgevoel en een hoop lef nodig. Wilde sprongen, draaiingen om de as en figuren

wisselen elkaar af en worden tijdens wedstrijden beoordeeld. De wedstrijden kunnen ook plaatsvinden in een half-pipe.

Een BMX-fiets heeft doorgaans een zeer laag maar extra stevig frame, 20 inch wielen en brede banden met noppen die een goede grip bieden. De fietsen met 24 inch banden heten cruisers. Beide modellen hebben tussen de 36 en 48 spaken die drie- tot viermaal zijn gekruist.

Opmerkelijk is de lage positie van het zadel. De fiets wordt doorgaans staand bereden en het zadel is alleen bij sommige tricks als steun voor de bikers nodig. In vergelijking tot normale fietsen zijn de pedalen groter en robuuster, zodat ze voldoende houvast bieden.

Over een versnelling beschikken BMX-fietsen meestal niet. Als remmen fungeren overwegend U-brakes die in de vorm van een U om de band grijpen. Bij sommige modellen worden ook V-brakes gebruikt. Sommige professionele fietsen hebben zelfs helemaal geen remmen omdat veel rijders de remhendels als storend ervaren. Ze verminderen eenvoudig de snelheid van hun fiets door hun hakken tegen de band te duwen.

BMX-fietsen staan bij veel jongeren hoog aangeschreven. De BMX-sport wordt als een van de trendsporten gezien en daarom telt bij deze fietsen niet alleen de techniek maar moet de fiets vooral *cool* zijn. Ondanks dat de bij standaardfietsen gebruikelijke uitrusting als verlichting of spatborden vaak als storend wordt ervaren, is het belangrijk om er bij de aanschaf van een BMX-fiets op te letten of hij geschikt is voor deelname aan het openbarewegverkeer.

Triatlonfietsen

Fietsen voor topsporters

De triatlon is een van de zwaarste sporten – en het fietsen vormt een van de drie centrale disciplines. Om de extreme belastingen van het lichaam die met de triatlon gepaard gaan zo veel mogelijk te beperken, is een speciale fiets ontwikkeld: de triatlonfiets.

Deze wedstrijdfietsen zijn geoptimaliseerd voor de triatlon. Ze hebben een eigen frame dat zo geconstrueerd is dat het zwaartepunt voor op het aërodynamisch gevormde stuur ligt. De zitpositie is veel hoger dan bij andere fietsen.

Om de krachtbelasting zo gering mogelijk te houden en toch voldoende stabiliteit te garanderen, worden de fietsen van high-end materialen en componenten gebouwd, waaronder carbonframes, velgen met een gereduceerd aantal spaken en speciale remsystemen. Topsporters laten hun fiets natuurlijk op maat vervaardigen.

Het spreekt voor zich dat deze fietsen niet zijn geconstrueerd voor het openbarewegverkeer. Bovendien moet u voor deze fietsen diep in de buidel tasten.

Fabrikanten van off-roadfietsen

GT BICYCLES

ASSORTIMENT: de mede-uitvinder en producent van de eerste mountainbikes behoort tegenwoordig tot de marktleiders. Daarnaast ligt het accent op BMX-fietsen. GT produceert echter ook andere types fietsen (deels onder een ander merk), zoals de chopperachtige fietsen onder de naam Kustom Kruiser.

GESCHIEDENIS: GT werd in 1972 in Zuid-Californië opgericht door Gary Turner en Richard Long. Sinds zijn oprichting voorziet de onderneming de markt steeds opnieuw van innovaties, zoals de eerste BMX-fietsen. GT heeft vooral met enkele bijzonder geavanceerde mountainbikes en straatfietsen naam gemaakt. GT Bicycles sponsort verschillende wereldkampioenen in de meest uiteenlopende fietssporten.

ADRES: GT Bicycles,
4902 Hammersley Rd.,
Madison, WI. 53711, USA
askus@gtbicycles.com,
www.gtbicycles.com

CUBE

ASSORTIMENT: dit Duitse bedrijf
is gespecialiseerd in eersteklas mountainbikes. Maar ook race- of recreatiefietsen behoren tot het assortiment.
Daarnaast biedt de onderneming talloze accessoires aan.

GESCHIEDENIS: het relatief jon-
ge Duitse bedrijf ontstond vanuit het streven om de techniek
van mountainbikes verder te verbeteren en nieuwe designs
te realiseren.

ADRES: FVV GmbH & Co. KG,
Ludwig-Hüttner-Str. 5,
D-95679 Waldershof
info@cube-bikes.de, www.cube-bikes.de

GARY FISHER

ASSORTIMENT: de uitvinder van de mountainbike is
trouw gebleven aan zijn type fiets en biedt geen andere
fietsen aan.

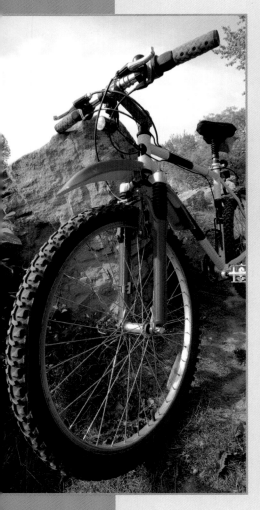

GESCHIEDENIS: het merk Gary Fisher werd in 1973 opgericht toen Gary Fisher met zijn vriend John Breeze op het idee kwam om de mountainbike te ontwikkelen, hetgeen een wereldwijd succes opleverde. De in 1950 geboren Amerikaan schreef echter ook als sporter geschiedenis omdat hij vanwege zijn lange haar jarenlang werd geweigerd bij wedstrijden.

ADRES: Gary Fisher Mountain Bikes, 45 Mitchell Blvd., St. 17, San Rafael, Canada www.fisherbikes.com

SPECIALIZED

ASSORTIMENT: hoewel het Amerikaanse fietsbedrijf, zoals de naam al aangeeft, is gespecialiseerd in off-roadbikes produceert het ook hoogwaardige straatfietsen.

GESCHIEDENIS: Specialized kan claimen dat het begin jaren tachtig de eerste in serie vervaardigde mountainbike op de markt heeft gebracht. Sindsdien heeft Specialized de techniek van de off-roadfietsen steeds verder vervolmaakt en boekte het bedrijf een reeks opmerkelijke successen.

ADRES: Specialized Bicycle Components,
15130 Concord Circle,
Morgan Hill, CA 95037, USA
store_customerservice@specialized.com,
www.specialized.com

CENTURION

ASSORTIMENT: Duits-Taiwanese specialist voor alle soorten van off-roadfietsen, met name mountainbikes en trackingfietsen.

GESCHIEDENIS: in 1978 werd het bedrijf Nowak-Radssport opgericht, dat zich in Duitsland al snel ontwikkelde tot een trendsetter op het gebied van mountainbikes. In 1991 nam het bedrijf de naam aan van zijn eerste grote succes-

model, de 'centurion'. Ook de eerste Duitse trackingfiets komt van de firma in Magstadt. Sinds 2001 werkt de onderneming samen met het toonaangevende Taiwanese fietsmerk Merida.

ADRES: Merida Centurion Germany GmbH,
Blumenstr. 49-51,
D-71106 Magstadt
info@centurion.de, www.centurion.de

GHOST MOUNTAINBIKES

ASSORTIMENT: anders dan zijn naam doet vermoeden, produceert Ghost niet alleen mountainbikes maar ook andere types fietsen. Het spectrum reikt van high-end mountainbikes van carbon tot trackingfietsen en racefietsen. Daarbij komen nog de zogeheten Powerkid-modellen voor kinderen tussen drie en twaalf jaar, evenals de lijn 'Miss' voor vrouwelijke fietsers.

GESCHIEDENIS: Ghost zet sinds de oprichting in 1993 in op fietsen die zich onderscheiden door robuuste, doordachte en innovatieve techniek met een goede prijs-kwaliteitverhouding. Goede kwaliteit en veiligheid staan op de eerste plaats.

Ghost is van een kleine onbetekenende werkplaats in Waldsassen uitgegroeid tot een *global player* met vestigingen in talrijke landen van Europa en overzee. Het accent ligt op hightech bikes die op speciale trails grondig worden getest en verder ontwikkeld. De klanten, waaronder ook rijders van wereldklasse, waarderen de baanbrekende frametechnologieën, de perfecte geometrie, het innovatief design en de consequente kwaliteitszorg.

ADRES: Ghost Mountainbikes GmbH,
Klärwerkstrasse 5,
D-95652 Waldsassen
info@ghost-bikes.de, www.ghost-bikes.de

FELT

ASSORTIMENT: Felt richt zich op de sportieve fietsers. Het grote aanbod aan mountainbikes, cross- en racefietsen, BMX-fietsen en fietsen voor triatleten of tijdrijders laat vrijwel niets te wensen over. Voor wie het iets rustiger aan wil doen, heeft Felt de keuze uit meerdere modieuze cruisers, ook voor kinderen.

GESCHIEDENIS: de firmaoprichter Jim Felt, zelf gepassioneerde amateur-triatleet, construeerde in 1991 zijn eerste frame voor professionele triatleten. Zo ondersteunde hij bijvoorbeeld de achtvoudige Ironman-winna-

res Paula Newby-Fraser uit de Verenigde Staten. Sindsdien heeft Felt het merk steeds verder uitgebreid. Tegenwoordig is de internationale verkoopcentrale van het bedrijf gevestigd in Duitsland.

Adres: Felt Deutschland GmbH, Industriestr. 39, D-26188 Edewecht info@felt.de, www.felt.de

Canyon Bicycles

Assortiment: de Duitse fabrikant biedt op design georiënteerde racefietsen en mountainbikes aan, maar is vooral een erkende producent van triatlonfietsen. Tot zijn assortiment behoren bovendien designaccessoires als brillen, schoenen of shirts.

Geschiedenis: de onderneming werd in 1985 opgericht onder de naam 'Radsport Arnold GmbH'. Sinds 2003 is het bedrijf onder zijn huidige naam actief op de markt en legt zich vooral toe op de verkoop via internet.

ADRES: Canyon Bicycles GmbH,
Koblenzer Strasse 236,
D-56073 Koblenz
info@canyon.com, www.canyon.com

STORCK

ASSORTIMENT: Storck biedt naast race-
en trackingfietsen ook mountainbikes aan.
Ze produceren innovatieve maar tijdloze en
vooral extreem lichte fietsen. In plaats van
nieuwe modellen op de markt te brengen,
worden de oude modellen voortdurend
verder ontwikkeld.

GESCHIEDENIS: in 1986, lang voordat hij het merk
Storck op de markt bracht, begon de firmaoprichter Markus
Storck met de ontwikkeling van hoogwaardige fietsen en
onderdelen. Sinds 1995 zijn alle componenten verkrijgbaar
onder de naam Storck Bicycles. In 1996 won de Nederlander
Bart Brentjens tijdens de Olympische Zomerspelen in Atlan-
ta op een aangepaste Stockfiets de gouden medaille bij het
onderdeel Mountainbike.

ADRES: Storck Bicycle GmbH,
Carl Zeiss Str. 4,
D-65520 Bad Camberg
info@storck-bicycle.de, www.storck-bicycle.de

BERGWERK

ASSORTIMENT: Bergwerk richt zich met een breed assortiment cross-, country-, tracking- en endurofietsen op de fietser die graag off-road rijdt. Het aanbod wordt gecompleteerd met mountainbikes en de off-roadtandem, die eveneens is uitgerust om op onverharde wegen en paden te rijden. Bovendien beschikt het bedrijf over speciaal op de vrouwelijke fietsers afgestemde off-roadfietsen.

GESCHIEDENIS: in 1998 startte de fietsenproducent uit het Zwarte Woud zijn productie. Nadat de onderneming tussentijds failliet ging, is het sinds 2005 weer actief op de markt.

ADRES: Bergwerk Cycles, GmbH, Im Altgefäll 21, D-75181 Pforzheim
info@bergwerk-cycles.de,
www.bergwerk-cycles.de

Baanfiets

FIETSEN ZONDER REMMEN

Protserige accessoires zullen we bij deze fietsen niet aantreffen, want baanfietsen zijn er volledig op toegerust om een hoge snelheid te behalen. Bijzonder belangrijk is de wendbaarheid die door de korte wielbasis van minder dan 95 centimeter en een steile stuurhoek van meer dan 74 graden wordt bereikt.

Om het gevaar op een valpartij te verkleinen heeft de baanfiets een vast verzet ofwel een vast tandwiel op de naaf. De baanwielrenner moet continu blijven trappen, maar krijgt hierdoor wel meer stabiliteit. Een baanfiets heeft geen versnellingen, aangezien deze bij het baanfietsen alleen voor wrijvingsverliezen zouden zorgen.

Aangezien bij baanwedstrijden alles om snelheid draait, ontbreken ook de remmen. Het verminderen van snelheid is dankzij het vast verzet mogelijk door de pedalen met spierkracht iets tegen te houden.

Om te voorkomen dat hij tegen een langzamere concurrent opbotst, wijkt de baanwielrenner eenvoudigweg uit. De stabiele 27 inch grote wielen met tubes bieden daarom veel grip.

Eenwieler

Artistieke oefeningen op een wiel

We zien hem in het circus, in acrobatische shows en soms zelfs op straat: de eenwieler. De eenwieler is niet echt een transportmiddel maar meer een cultvoorwerp.

Voor de beginner vormt het opstappen al een probleem, aangezien de eenwieler geen stuur heeft. De berijder zit op een bananenzadel direct boven het aandrijfwiel. Omdat je op een eenwieler geen echte houvast hebt, moeten beginners voortdurend in beweging blijven. De belangrijkste truc is het heen en weer pendelen. Door heel rustig een klein stukje vooruit en achteruit te rijden, kan de eenwieler op ongeveer hetzelfde punt worden gehouden. Alleen profs kunnen op de plaats blijven staan door hun evenwicht te bewaren. Al bij lage snelheid wordt het rijden iets eenvoudiger aangezien de centrifugaalkrachten voor zijdelingse stabiliteit zorgen.

De eenwieleraar bestuurt de eenwieler met zijn heupen, zodat het zadel in de juiste richting wordt gedraaid en de eenwieler in de gewenste richting rijdt. Het verminderen van de snelheid realiseert hij door de pedalen rustig in tegengestelde draairichting te trappen.

Het bij standaardfietsen gebruikelijke vrijwiel heeft de eenwieler niet.

Doorslaggevend voor succesvol eenwieleren is ook de keuze voor het juiste model. Voor beginners is een eenwieler van 20 inch de beste keuze. Door de geringe afmeting is het eenvoudiger om te wennen aan de nieuwe omstandigheden en kan de beginnende eenwieleraar een goed evenwichtsgevoel ontwikkelen. Daarnaast bestaan talrijke andere afmetingen, van een wieldiameter van 12 inch tot wel 50 inch.

Met de kleine eenwielers is de berijder wendbaarder en is het uitvoeren van tricks veel eenvoudiger. De grote modellen zijn echter veel sneller. Voor de gevorderde berijder bestaan bovendien enkele bijzondere eenwielers. Zo is er de ultimatewheel zonder zadel of de robuustere mountain-unicycle (muni).

Geroutineerde rijders kunnen hiermee zelfs probleemloos moeilijke terreinen berijden en bewegen zich met hun fiets even zelfverzekerd als gewone fietsers. Daarnaast wordt de eenwieler ingezet voor verschillende sporten. Er is eenwielhockey en eenwielbasketbal maar er bestaan ook eigen wedstrijddisciplines – waaronder het group freestyle, waarbij vier tot zes eenwielfietsers verschillende figuren op een vastgelegd veld uitvoeren.

Vouwfiets

MOBIEL FIETSPLEZIER

Ooit het meewarig bekeken vehikel van kampeerders, tegenwoordig een statussymbool: de vouwfiets. De tamelijk
onooglijke vouwfietsen uit de jaren zestig en zeventig zijn
uitgegroeid tot hightech fietsen waarmee zelfs managers in
stijl naar kantoor kunnen fietsen.

Al eind negentiende eeuw werden de eerste pogingen ondernomen om de fiets transportvriendelijker te maken. In 1878 vroeg de Brit William Grout voor het eerst patent aan.

De fietsen van tegenwoordig onderscheiden zich in de wijze waarop ze worden ingeklapt. De klassieke vouwfiets heeft in het midden van het frame een scharnier zodat de fiets eenvoudig in twee delen kan worden gevouwen. Maar er bestaan ook modellen waarbij het frame uit elkaar wordt gehaald en weer andere waarbij verschillende onderdelen van de fiets in elkaar worden geschoven. Daarnaast zijn er modellen waarbij verschillende mechanismen worden gecombineerd.

Doorslaggevend is, naast de technische finesses die een comfortabel en veilig fietsen mogelijk maken, het gewicht. Tegenwoordig wordt veel gebruikgemaakt van zeer lichte materialen en, voor de dure vouwfietsen, van edelmetaal als carbon. De markt kan dan ook worden opgedeeld in eenvoudige en relatief goede fietsen en dure fietsen met vaak een fraai design.

Trendy bikes

Coole bikes voor coole mensen

Fietsen zijn meer dan een transportmiddel – ze getuigen ook van een levensfilosofie. 'Laat me je fiets zien en ik vertel je wie je bent.' Zo zou de zinspreuk kunnen luiden van een specifieke groep mensen voor wie een fiets uiting van hun persoonlijkheid betekent.

Wie cool is, rijdt niet plankgas met zijn racefiets over het asfalt of turnt met zijn BMX-fiets over het terrein. Nee, hij cruist – en valt op. De cruiserbikes hebben een langgerekt, boogvormig frame en een extreem breed stuur. Bij deze choppers ontbreken technische finesses. Ze beschikken doorgaans niet eens over een schakelsysteem of op z'n allerbest over drie versnellingen. En natuurlijk zoeken we tevergeefs naar een verkeersveilige uitrusting als verlichting.

Terwijl cruiserbikes een zelfstandig fietstype vormen, zijn andere trendfietsen meer een deftige verpakking voor solide gebleken fietsen. De zogeheten fitnessbikes zijn bijvoorbeeld eigenlijk niet meer dan toerfietsen met een sportief uiterlijk.

Tandem

FIETSPLEZIER MET Z'N TWEEËN

Alleen fietsen vind ik fijn, samen fietsen een festijn – wie er zo over denkt, is bij een tandem aan het juiste adres. De tandem bestaat al meer dan honderd jaar. Al begin van de twin-

tigste eeuw bestond een tandem die erg leek op onze huidige tandem, namelijk de Stearnstandem. Hij was met twee achter elkaar gerangschikte zadels en een gemeenschappelijke aandrijving vergelijkbaar opgebouwd als de huidige vertegenwoordigers van dit type fiets.

In deze tijd is ook de naam geboren. Een tandem was oorspronkelijk een koets die door twee achter elkaar gespannen paarden werd getrokken. Andere historische namen voor de tandem zijn sociable, compagnon of tweelingfiets.

In principe lijkt deze fiets erg op de normale fiets. Een tandem heeft alleen een speciaal fietsframe waaraan twee zitbuizen en twee trapassen zijn bevestigd die met elkaar in verbinding staan.

Het berijden van een tandem is daarentegen niet zo eenvoudig. De samenwerking tussen de stuurman, die voorop zit en ook wel captain word genoemd en de achterste man of de stoker, moet goed zijn. De hoge snelheden, het remmen en ook het sturen voelen op een tandem heel anders dan op een normale fiets en zijn vooral in het begin veel lastiger.

De captain stuurt, aangezien hij beter zicht heeft, en vaak schakelt de stoker. Omdat de stoker in de luwte van de captain zit en de luchtweerstand dan ook vrijwel gelijk is aan die van een eenpersoonsfiets, beschikt de tandem over dubbele aandrijfkracht. Een tandem kan dan ook een hoge snelheid behalen en langere tochten vormen geen probleem aangezien het fietsen minder uithoudingsvermogen vergt.

De tocht hoeft niet per se thuis te beginnen. Omdat het lastig is om een standaardtandem met de trein of een auto te vervoeren, bestaan er tegenwoordig vouwtandems. Deze kunnen in een handomdraai worden gedemonteerd in twee eenvoudig op te bergen delen.

Er bestaat tegenwoordig een breed aanbod aan verschillende modellen tandems, en er zijn zaken die zich hebben gespecialiseerd in de verkoop van tandems.

Ligfiets

COMFORTABEL ONDERWEG

Eigenlijk lijken de meeste fietsen qua constructie en rijge-drag erg op elkaar. Op straat zien we echter ook modellen die helemaal niet in het normale plaatje passen. De berijders zitten niet op een zadel maar liggen in een speciale zitschaal.

Door de relatief lage frameconstructie van deze fiets bevindt de berijder zich dicht bij de grond. Daarom trapt hij niet verticaal in de pedalen maar brengt hij de fiets vanuit een horizontale positie in beweging.

Bij de zogeheten buikligger bevindt het trapaslager zich achter het voertuig. De berijder ligt op zijn buik en trapt met zijn voeten naar achter op de pedalen. Deze modellen komen echter zeer zelden voor. De meeste ligfietsen zijn gebouwd als rugligger en beschikken over een naar voren verplaatst trapaslager. Op deze fietsen ligt of zit de berijder in zijn kuip en beweegt zijn fiets met normale trapbewegin-gen.

Een ander distinctief kenmerk is de lengte. Bij een lan-ge ligfiets bevindt het voorwiel zich voor het trapaslager. Deze fiets heeft een wielbasis van ongeveer 165 tot 180 centimeter en staat daarom een ontspannen houding toe. De korte ligfiets beschikt over een voorwiel dat tussen het trapaslager en het zadel ligt. Hij heeft een wielbasis van ongeveer 100 centimeter en is daardoor zeer wendbaar. Maar het rijgedrag vergt wel enige gewenning en spontane remmanoeuvres zijn moeilijker.

Ook het besturen verschilt per model. Er zijn normale sturen zoals bij de standaardfiets. Andere ligfietsen worden indirect gestuurd, oftewel de beweging van het stuur wordt via stangen, touwen of kettingen overgebracht op het voorwiel. Afhankelijk van het type ligfiets zijn de wielen verschillend van afmeting. In de meeste gevallen is het voorwiel iets kleiner. Dit is een voordeel omdat het grotere belastingen moet doorstaan.

Speciale fietsen

FIETSEN VOOR BIJZONDERE DOELEINDEN

Deze fietsen zijn geoptimaliseerd voor een specifiek doeleinde. Of het nu voor de postbode of de bakkersjongen is –
ze hebben beide beroepsmatig behoefte aan een stevige fiets
om vrachten te vervoeren. De fietsen die hiervoor worden

ingezet, beschikken dan ook over een versterkt frame en speciale opzetstukken die het werk vereenvoudigen. Veel ondernemingen laten ze zelfs speciaal op bestelling en op maat vervaardigen.

Ook de riksja's, de fietstaxi's, behoren tot deze categorie. Deze worden niet alleen in het Verre Oosten gebruikt, maar we zien ze (vaak mooi vormgegeven) ook rondrijden in moderne metropolen.

Een andere subgroep van dit type fiets vormen de fietsen die zijn ontworpen voor mensen met een lichamelijke handicap. Hoe veelzijdig en technisch perfect deze fietsen zijn, blijkt wel bij de Paralympics. Het spectrum reikt van fietsen met drie wielen tot fietsen voor mensen met een dwarslaesie, die met een met de hand aangedreven cranksysteem worden voortbewogen.

Daarnaast mogen we natuurlijk alle extravagante constructies niet vergeten die bevlogen fietsers zelf uitvinden. Het spectrum loopt van de zelfgeknutselde unieke fiets tot de in serie geproduceerde rijwielen. En tot slot moeten we in dit verband ook alle mogelijke aanhangers vermelden die de knutselaars aan hun fiets monteren.

Fabrikanten van bijzondere fietsen

SPECIALISTEN IN APARTE FIETSEN

Of het nu gaat om een kunstfiets of eenwieler, een vouw- of ligfiets, voor al deze bijzondere fietsen bestaan een groot aantal gespecialiseerde bedrijven. Meestal worden ze opgericht door voormalige sporters. Weliswaar bieden ook de fabrikanten met een compleet aanbod incidenteel speciale fietsen aan – bijvoorbeeld vouwfietsen of tandems – maar het merendeel van deze fietsen wordt met de hand vervaardigd in kleine smederijen.

Flux

ASSORTIMENT: Flux maakt uitsluitend ligfietsen. Mocht u in de veronderstelling zijn dat er geen verschillen bestaan, dan hebt u het mis. Evenals bij de gewone fiets reikt het spectrum bij ligfietsen van toerfietsen voor ontspannen tochtjes en vakantiefietsen voor langere afstanden tot de ligfiets voor de sportief geëngageerde fietser – maar allemaal net iets dichter bij de grond.

GESCHIEDENIS: het jonge Duitse bedrijf ontstond vanuit het streven om ligfietsen ook voor de sportieve fietser aantrekkelijker te maken.

ADRES: Flux Fahrräder Handels-GmbH,
Kreuz-Breitlstr. 8,
D-82194 Gröbenzell
info@flux-fahrraeder.de, www.flux-fahrraeder.de

Hase Spezialräder

ASSORTIMENT: Hase is gespecialiseerd in trikes, lig- en zitfietsen en tandems. De producent zet in op flexibiliteit – zoals bij het opvouwbare lig-driewieler Lepus – en met de een- en tweezitters ook op veelzijdigheid. Alle producten van Hase worden in de manufactuur in Waltrop met de hand gemaakt. Opvallend in het assortiment zijn de producten voor de revalidatie, zoals handfietsen voor rolstoelrijders.

GESCHIEDENIS: de onderneming werd in 1994 opgericht. Sindsdien heeft Hase Spezialräder zich van een een-
manszaakje ontwikkeld tot een wereldwijd opererende
producent voor speciale fietsen. Inmiddels zijn fietsen van
Hase behalve in talrijke Europese landen ook in Japan, Canada, de Verenigde Staten en Nieuw-Zeeland verkrijgbaar.

ADRES: Hase Spezialräder,
Hiberniastr. 2,
D-45731 Waltrop
info@hasebikes.com, www.hasebikes.com

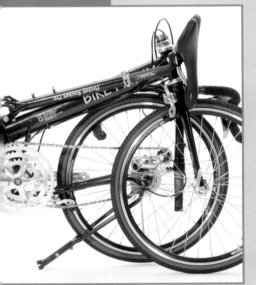

BIKE FRIDAY EUROPE

ASSORTIMENT: de onderneming is
een absolute specialist in vouwfietsen.
Het aanbod omvat vouwbare recreatiefietsen, racefietsen en tandems die ook in
een normale reiskoffer passen. Bike Friday heeft tevens een tandem die omge-
bouwd kan worden tot eenpersoonsfiets.

GESCHIEDENIS: de broers Hans en
Alan Scholz richtten in 1992 de firma
Green Gear op met het handelsmerk Bike
Friday. Het bedrijf is gevestigd in Eugene
in de Verenigde Staten. Het doel was om
een fiets te ontwikkelen die een betrouw-
bare en op het lijf geschreven reisgenoot
zou vormen – in aansluiting op de roman

Robinson Crusoe waarin Robinson in Vrijdag (Friday) een kameraad vindt die met hem door dik en dun gaat.

ADRES: Bike Friday Europe,
Kirchzartenerstr. 25,
D-79117 Freiburg
info@bikefriday.de, www.bikefriday.de

R-M RIESE & MÜLLER

ASSORTIMENT: het specialisme van deze onderneming zijn volledig geveerde fietsen. De klassieker is de vouwfiets Birdy die tevens het eerste model van r-m was. Tegenwoordig bieden ze een grote variëteit aan sport-, stads- en vakantiefietsen.

Erg succesvol zijn de oorbeschermers van fleece, de zogeheten 'hot ears' die voor een aangenaam klimaat onder de fietshelm zorgen.

GESCHIEDENIS: het idee voor een volledig geveerde vouwfiets had Markus Riese, een van de oprichters van het bedrijf, al in 1992. Het kostte echter ruim een jaar om het eerste prototype te maken en nog eens twee jaar voordat

de eerste opdracht voor 250 fietsen werd geplaatst. De vouwfiets bleek zo succesvol dat nieuwe modellen werden ontwikkeld. In 2003 vierde het bedrijf zijn tienjarig jubileum.

ADRES: Riese und Müller GmbH,
Haasstrasse6,
D-64293 Darmstadt
team@r-m.de, www.r-m.de

STAR BICYCLE

ASSORTIMENT: Star Bicycle heeft zich gespecialiseerd in kunstfietsen en fietsen voor fietspolo die ook op wens kunnen worden gemaakt.

GESCHIEDENIS: de fabrikant heeft naam gemaakt in de kunstfietswereld met een aluminiumconstructie met een markant frame. Bij de ontwikkeling van nieuwe fietsen kon de bedrijfsoprichter José Arellano zijn eigen ervaringen als beroemd kunstfietser inbrengen.

ADRES: José Arellano Indoor Cycling,
Steigersbrünnle21,
D-74632 Neuenstein
info@jose-arellano.de, www.starbicycle.com

Fietsen met hulpaandrijving

KRACHTIGE ONDERSTEUNING

Voor sommige mensen is spierkracht alleen niet voldoende om een fiets voort te bewegen. Daarom zien we op straat steeds meer elektrische fietsen die over een hulpaandrijving beschikken en tevens geschikt zijn voor alledaags gebruik.

Een fiets met trapbekrachtiging wordt ook wel pedelec (Pedal Electric Cycle) of EPAC (Electric Power Assisted Cycle) genoemd. De berijder van een pedelec trapt zelf maar wordt hierbij ondersteund door een elektrische motor. De kracht die de motor levert, is afhankelijk van de kracht die de berijder zet. Zodra de berijder zijn pedalen in beweging brengt, schakelt de motor zich in. De motor is volledig geruisloos.

Hoeveel aanvullende kracht de motor moet leveren wordt berekend en gestuurd door een krachtsensor die de rotatiebeweging van de trapas registreert. De energie hiervoor levert een ingebouwde accu die echter meestal na een aantal uren opnieuw moet worden opgeladen. De aandrijving geschiedt door middel van een naafmotor of middels een aandrijfsysteem waarbij de kracht via een overbrengingsmechanisme, ketting of tandriem wordt overgedragen.

De maximaal toegestane snelheid binnen de Europese Unie is 25 kilometer per uur en zodra de fiets deze snelheid bereikt, schakelt de motor zich automatisch uit. Voor modellen waarbij dit niet het geval is, is in veel landen een speciale vergunning nodig.

Naast de pedelecs zijn er ook elektrische fietsen die onafhankelijk van de trapkracht van de berijder ondersteuning bieden. Deze worden met E-bikes of E-scooters aangeduid. Bij deze elektrische fietsen kan de berijder zelf het motorvermogen regelen via een knop of een gashendel.

Componenten en toebehoren

Van afzonderlijk onderdeel tot complete fiets

Geen enkele fietsfabrikant produceert alle onderdelen van zijn fietsen zelf. Ook fabrikanten van grote merken met hun eigen, karakteristieke modellen kopen een groot deel van de voor de fiets benodigde onderdelen elders. Een fiets bestaat dan ook uit meer dan 1000 onderdelen, van schroeven en verlichtingssysteem tot versnelling en remmen.

Voor specifieke onderdelen zoals remsystemen, fietsbanden of ook schakelsystemen bestaan wereldwijd slechts enkele fabrikanten die zich volledig op deze onderdelen of componenten hebben gespecialiseerd.

Het bekendste voorbeeld hiervoor is Shimano. De meeste fietsen die over de hele wereld worden verkocht, zijn met ten minste één component van deze Japanse fabrikant uitgerust. Veel experts vergelijken de marktpositie van Shimano met die van Microsoft op het gebied van software.

Hieruit blijkt wel hoe essentieel de componenten en hun fabrikanten voor de fietsindustrie zijn. Maar ook voor de fietser zelf, aangezien de goed ontwikkelde verkoopnetten van de grote componentenconcerns tevens de wereldwijde levering van reserveonderdelen waarborgen.

Maar we kunnen niet beweren dat alle fietsfabrikanten gelijk zijn, omdat ze allemaal dezelfde componenten gebruiken. Enerzijds maken veel fabrikanten belangrijke onderdelen als het frame zelf en anderzijds speelt ook de combinatie en een goede montage een belangrijke rol. Daarnaast heeft elke fabrikant ook een eigen inbreng waardoor zijn fietsen zich van andere fietsen onderscheiden.

Wat voor de componenten geldt, is ook van toepassing op de accessoires. Of het nu gaat om een fietscomputer of extra verlichting, kleding of helmen – ook hier worden de meeste standaardonderdelen slechts door enkele wereldwijd actieve producenten vervaardigd. Het aandeel aan kleine fabrikanten die alleen lokale markten bedienen is hier echter groter. Dit leidt tot een groter aanbod en meer concurrentie.

Fabrikanten van componenten

Shimano

Assortiment: de onderneming is wereldwijd de toonaangevende producent van componenten. Van professionele racefietsen en off-roadfietsen tot recreatiefietsen – Shimano biedt schakelmechanismen, cranks, lagers en remmen in verschillende kwaliteitsklassen aan.

Geschiedenis: dit wereldsucces is te danken aan Shozaburo Shimano die in 1921 zijn eerste vrijloopnaaf in het Japanse Sakai produceerde. Tien jaar later al exporteerde het bedrijf de eerste producten en in de jaren zestig was het bedrijf wereldwijd actief. In de fietstechniek timmerde Shimano aan de weg met de eerste compleet op elkaar afgestemde groepen en baanbrekende innovaties zoals de indexschakeling. Naast fietsproducten is Shimano actief op het gebied van de vis-, golf en wintersport.

Adres: Shimano Benelux,
Industrieweg 24,
8071 CT Nunspeet
sbx@shimano-eu.com, www.shimano-benelux.com

SRAM

ASSORTIMENT: Sram behoort tot de wereldwijd leidinggevende aanbieders van groepen, dempers en andere componenten.

GESCHIEDENIS: in zijn jonge, amper twintigjarig bestaan heeft het in Chicago met zes medewerkers opgerichte bedrijf zich tot een *global player* met meer dan 2500 werknemers omhooggewerkt. Het succes kwam met de Grip-Shiftdraaischakelaar. Tot de onderneming behoren ook de legendarische merken Fichtel & Sachs, die met de torpedonaaf fietsgeschiedenis schreven. Daarnaast behoren Rockshox, Avis en Truvativ tot de groep.

ADRES: SRAM Corporation,
1333 N. Kingsbury,
Chicago, IL 60622, USA
www.sram.com

CAMPAGNOLO

ASSORTIMENT: Campagnolo is naast Shimano en R-M de derde toonaangevende fabrikant van componenten en in de eerste plaats van groepen.

GESCHIEDENIS: het reeds in 1933 door Tullio Campagnolo in het Italiaanse Vicenza opgerichte bedrijf is van grote betekenis geweest voor de fietsgeschiedenis, bijvoorbeeld met de uitvinding van de eerste snelspanner. Campa, zoals de profs de fabrikant noemen, houdt zich tegenwoordig uitsluitend bezig met de ontwikkeling van racefietscomponenten.

ADRES: Campagnolo S.P.A.,
Via della Chimica, 4,
I-36100 Vicenza
info@campagnolo.com, www.campagnolo.com

NÖLL

ASSORTIMENT: Nöll heeft zich gespecialiseerd in de productie van stalen frames. Hierbij gaan traditie en hightech hand in hand. Ouderwets handwerk wordt aangevuld met moderne fabricagemethoden. Het assortiment omvat frames voor race- en recreatiefietsen, maar ook voor mountainbikes.

GESCHIEDENIS: Nöll is een relatief jonge onderneming. Het bedrijf werd begin jaren tachtig door Achim Nöll opgericht. Uitgangspunt van de firmaoprichter was dat fietsframes van aluminium braken. Daarom koos hij voor staal als basismateriaal. Dankzij ervaringen van wielrenners, nieuwe ontwikkelingen

bij de soldeertechniek en de materialen evenals de individueel op de berijder afgestemde frames zijn sommige frames die begin van de jaren negentig werden gemaakt, tegenwoordig nog steeds in gebruik.

Adres: Nöll Fahrradbau, Fischerweg 6, D-36041 Fulda/Kämmerzell info@noell-fahrradbau.de, www.noell-fahrradbau.de

Selle Royal

Assortiment: specialiteit van dit Italiaanse bedrijf zijn allerhande soorten zadels, van het klassieke zadel tot het moderne gelzadel. Tegenwoordig behoren verschillende merken tot de ondernemingsgroep, waaronder ook de historische Engelse onderneming Brooks.

Geschiedenis: de voorzitter van de firmagroep, Riccardo Bigolin, richtte de onderneming in 1956 op. De bestaansgeschiedenis van het bedrijf wordt gekenmerkt door radicale innovaties en een kenmerkend design. Het bedrijf heeft inmiddels een grote industriële productie en neemt nu wereldwijd een leidinggevende positie op het gebied van fietszadels in. Later zijn ook de merken Lookin en fi'zi:k opgericht. Sinds 2002 behoort ook het historische merk Brooks met zijn unieke, hoogwaardige kernleren zadels tot Selle Royal. Tegenwoordig produceert de ondernemingsgroep jaarlijks meer dan acht miljoen zadels. Een mijlpaal vormde de begin jaren negentig ingevoerde gelzadels. De nieuwste ontwikkeling zijn zadels met een verkoelend zadeldek en een ventilatiekanaal.

ADRES: Selle Royal S.P.A.,
Via Vittorio Emanuele 141,
I-36050 Pozzoleone (Vicenza)
mail@selleroyal.com, www.selleroyal.com

BIO-RACER

ASSORTIMENT: Bio-Racer is een specialist in hoogwaardige innovatieve fietskleding, met name voor de topsport. Het accent ligt op de wielerkleding van speciale materialen.

GESCHIEDENIS: in 1984 begon Raymond Vanstraelen zijn ervaringen als wielrenner en begeleider van topcoureurs alsmede zijn technische kennis om te zetten in een nieuwe generatie wielersportkleding. Hij ontwierp kleding voor de renners met een aërodynamische en perfect afgestemde pasvorm. Bio-

Racer, een samenstelling van 'biomechanica' en 'racer', was geboren. Niet lang daarna brengt het bedrijf in samenwerking met een Zwitserse textielfabrikant hele collecties op de markt.

ADRES: Bio-Racer Cycling Fashion, Ravenshout Z5.2.50, Industrieweg 114, B-3980 Tessenderlo info@bioracer.com, www.bioracer.com

SCHWALBE

ASSORTIMENT: fietsbanden en binnenbanden.

GESCHIEDENIS: het reeds in 1901 opgerichte bedrijf Bohle liet in 1973 in Korea de Swallowband produceren en zocht voor Europa naar een pakkende naam. Zo ontstond Schwalbe. Tegenwoordig biedt Schwalbe 1700 verschillende banden en binnenbanden aan, ook voor rolstoelen, scooters of de industrie.

ADRES: Ralf Bohle GmbH, Otto-Hahn-Str. 1, D-51580 Reichshof info@schwalbe.de, www.schwalbe.de

Continental

Assortiment: Continental produceert niet alleen auto-
banden, maar ook fietsbanden voor alle gangbare modellen.

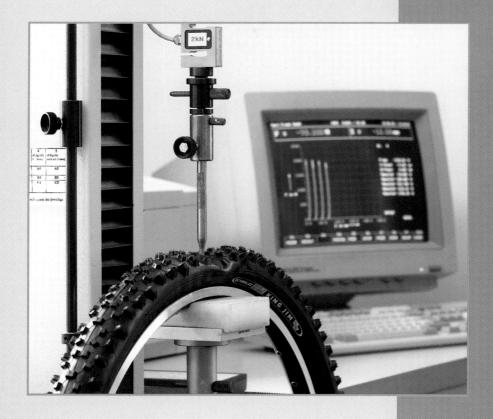

Geschiedenis: Continental behoort met zijn brede assortiment tot de marktleiders. De afdeling Two Wheel Business heeft zich volledig in fietsen gespecialiseerd en biedt eersteklas en innovatieve producten voor alle soorten fietsen – zowel voor de recreatieve sector als ook voor de topsport.

Adres: Continental AG, Two Wheel Business Unit,
Continental Strasse 3-5,
D-34497 Korbach
2wheel.marketing@conti.de, www.conti.de

Magura

Assortiment: fietsremmen, verende vorken, veren.

Geschiedenis: de Duitse, in Schwaben gevestigde onderneming heeft zich gespecialiseerd in volhydraulische fietsremmen. Het bedrijf werd in 1987 opgericht door Gustav Magenwirth in Bad Urach en levert jaarlijks honderdduizenden remmen af.

Adres: Gustav MagenwirthGmbH & Co. KG,
Stuttgarter Strasse 48,
D-72574 Bad Urach
passionpeople@magura.de,
www.magura.de

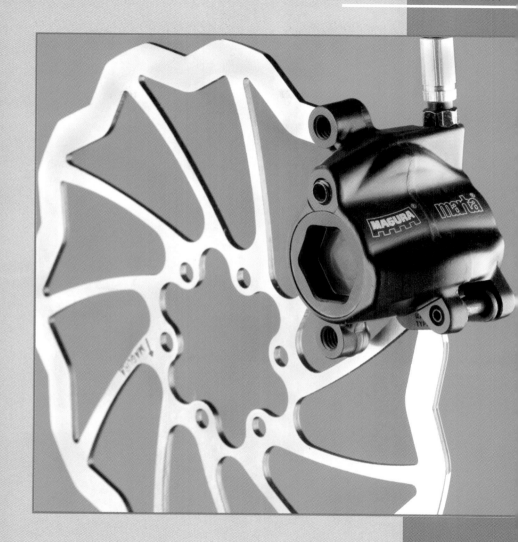

De belangrijkste begrippen

De vaktermen

ACHTERLICHT: is wettelijk verplicht in de Europese Unie. Het achterlicht moet rood licht uitstralen en op het spatbord zijn gemonteerd op een hoogte tussen de 25 en 60 centimeter. Ook een rode reflector is voorgeschreven. Er bestaan tevens achterlichten met geïntegreerde reflectoren en standlichtfunctie die aan de bagagedrager worden bevestigd.

ALUMINIUM: vaak toegepast materiaal in de fietsenbouw dankzij zijn positieve eigenschappen: het geringe gewicht, de stevigheid en vanwege het feit dat aluminium niet roest.

AS: een fiets heeft vier assen. Twee naafassen waar de wielen omheen draaien, een pedaalas en een trapas.

BAGAGEDRAGER: bevindt zich boven het achterwiel en is bedoeld om vrachten te vervoeren. Vaak bevinden zich ook snelbinders aan de bagagedrager, die de bagage op zijn plek houden.

BALHOOFD: geheel van twee kogellagers die het mogelijk maakt dat de voorvork draait ten opzichte van het frame. Deze lagering heeft het zwaar te verduren.

BALHOOFDBUIS: voorste buis van het frame waarin de voorvork in de balhoofdlagers draait.

BANDDYNAMO: de banddynamo loopt over de dynamoribbels van de band en is zeer effectief. De banddynamo is kwetsbaar en het wieltje slipt snel.

BANDENMAAT: de maat van een band staat op de zijkant van de band vermeld in millimeters (bijvoorbeeld 42-622/breedte van de band – diameter van de velg) of in inch (bijvoorbeeld 28 x 1,6/velgmaat x breedte van de band). De verschillende maatsystemen leiden ertoe dat er soms afwijkingen tot vijf millimeter bestaan tussen de opgegeven maten.

BANDENSPANNING: deze wordt gemeten in bar. Voor dagelijks gebruik hebben banden een spanning nodig van 4-6 bar. Een bar spanning betekent een kilo gewicht per vierkante centimeter.

BANDPROFIEL: hoe minder profiel de band heeft, des te lager de rolweerstand is. Overigens hebben niet alleen racefietsen maar ook fietsen voor dagelijks gebruik weinig profiel. Bij fietsen voor terreinritten worden daarentegen banden met grof profiel met noppen gebruikt.

BAR-ENDS: ook bekend als power sticks of stierhoorns. Extra verstelbare handgrepen aan de uiteinden van het stuur voor een optimale handpositie.

BEL: kleine bel die op het fietsstuur is gemonteerd en ertoe dient andere weggebruikers te waarschuwen. Een fietsbel moet op een afstand van 25 meter hoorbaar zijn. Het is wettelijk verplicht een fietsbel te hebben op een fiets.

BEUGELSLOT: stevig ijzeren slot in hoefijzervorm.

BINNENBAND: als materiaal voor de binnenband wordt doorgaans butyl (kunstmatig rubber) gebruikt. Ook polyurethaan of latex worden toegepast voor binnenbanden.

BOVENBUIS: bovenste horizontale buis bij herenfietsen die het stuur met het zadel verbindt.

BOWDENKABEL: omhulde stalen draad die de trekkracht van de hefboom verbindt met de rem of versnelling.

BRACKET: geheel van cranks, trapas en de lagers.

BRUG: dit verende deel van het achterste framewerk maakt geleidewieltjes overbodig, omdat de ketting dankzij de vering niet uitrekt.

BSC-SCHROEFDRAAD: British standard cycle schroefdraad. Gebruikelijk bij mountainbikes of racefietsen.

BUITENBAND: beschermt de binnenband en zorgt tevens voor grip op het wegdek.

Butted: spaken die aan een of beide uiteinden dikker zijn dan in het midden.

Cantilever: bij deze velgrem zijn de beide remhelften doorgaans verbonden met een V-kabel. Door aan de V-kabel te trekken worden beide remhelften gelijkmatig naar de velg gedraaid.

Carbon: aanduiding voor koolstofvezelepoxy matrix. Vanwege de kostbare verwerking wordt carbon voornamelijk gebruikt voor de vervaardiging van racefietsen.

Cassette: aanduiding voor alle tandkransen die op de cassettenaaf worden geschoven.

Cassettenaaf: achternaaf met het geïntegreerde vrijwiel. Sinds 1952 verkrijgbaar op de markt. De cassettekransjes zijn bij de cassettenaaf redelijk eenvoudig te vervangen.

Centerpull: remsysteem dat erg lijkt op het cantileversysteem. Wordt tegenwoordig vrijwel niet meer gebruikt.

CHROOM: dit materiaal wordt vaak als bescherming tegen roest aangebracht op verschillende delen van de fiets.

CRANK: metalen verbinding tussen de pedalen en de trapas.

CROMO: gebruikelijke afkorting voor chroommolybdeenstaal. Het onderscheidt zich door een hoge trekvastheid en een goede breukrekbaarheid. CroMo wordt als legering op delen van het frame, assen en stuur aangebracht.

DEMPING: om ongecontroleerde trillingen op te vangen gebruikt men speciale dempingelementen. Deze werken op veren of olie.

DERAILLEUR: mechanisme dat de ketting geleidt en deze laat overspringen van een tandwielpositie naar een andere.

DIAMANTFRAME: de naam komt van het Engelse woord voor ruit (= diamond) en duidt de klassieke framevorm aan van een herenfiets.

Draaischakelaar: draaischakelaar voor de versnelling. Door een eenvoudige draai aan de schakelaar op het stuur kan naar een andere versnelling worden overgeschakeld.

Dynamo: de verlichting van een fiets wordt gevoed doordat het wiel draait en de kop- en achterlamp van stroom voorziet. We onderscheiden een naafdynamo en een klassieke fietsdynamo. De dynamo moet een spanning van 6 volt produceren en een vermogen van 3 watt leveren.

Elastomeer vering: deze vering bestaat uit synthetisch rubber en maakt gebruik van wrijvingsdemping.

Extra toebehoren: hieronder vallen alle onderdelen van de uitrusting die niet noodzakelijk zijn voor de functie van de fiets. Hiertoe behoren voor veel type fietsen niet alleen de accessoires zoals fietscomputers of spatborden, maar vaak ook de wettelijk verplichte verlichting of bel.

FIETSBEURS: evenals voor auto's worden ook voor fietsen internationale jaarbeurzen georganiseerd. Soms ook in combinatie met gemotoriseerde tweewielers. De bekendste fietsbeurs in Nederland is de jaarlijkse FietsRAI in Amsterdam.

FIETSDRAGERS: drager om een of meerdere fietsen met de auto te vervoeren. Ze worden bevestigd op het dak van de auto of aan de achterkant van de wagen gemonteerd.

FIETSSCHOENEN: de handel biedt diverse schoenen aan voor de verschillende types fiets zoals mountainbikes of racefietsen. Er zijn bijvoorbeeld speciale schoenen voor de klikpedalen van racefietsen. Deze schoenen hebben een plaatje dat in het pedaal wordt vastgeklikt.

FIETSTASSEN: deze zijn in verschillende maten verkrijgbaar voor zowel stuur, frame, zadel alsook bagagedrager. Ze worden opgehangen aan de fiets of met riemen bevestigd. Ze zijn erg praktisch om allerhande dingen in te vervoeren (gereedschap, proviand, boodschappen).

FIETSTYPES: de verschillende fietsen kunnen worden ingedeeld in types of soorten. Er bestaan evenwel geen uniforme begripsomschrijvingen. Voorbeelden van fietstypes zijn de toerfiets, de racefiets, de mountainbike of de eenwieler.

FIETSVENTIEL: dit gebruikelijke ventiel heeft als voordeel dat het oppompen van de banden minder inspannend is dan bij het vroeger gebruikelijke Dunlopventiel.

FIETSVLAG: veiligheidstoebehoren, lengte ca. 1,70 meter. Voornamelijk gebruikt voor kinderfietsen, zodat kinderen in het drukke verkeer beter zichtbaar zijn voor andere weggebruikers en zij niet over het hoofd worden gezien.

FRAME: het frame vormt het basisgeraamte van de fiets en bestaat uit twee driehoeken, die wederom uit verschillende buizen bestaan. De buizen worden aan elkaar gelast of met luggen verbonden. Gewoonlijk bestaat het uit staal (stevig maar zwaar) maar ook aluminium (zeer licht), carbon of titanium worden gebruikt als materiaal.

FRAMEMAAT: bij standaardfietsen ligt de framemaat tussen 49 en 63 centimeter. Doorslaggevend is de lichaamslengte. De hoogte van het frame wordt gemeten van het hart van de trapas tot de bovenkant van de zitbuis.

FRAMEVORM: de sinds meer dan honderd jaar bekende basisvorm is het diamantframe. Intussen zijn er andere vormen voor speciale fietsen zoals ligfietsen, BMX-fietsen of vouwfietsen.

FREESTYLE: acrobatische fietstricks met een BMX-fiets.

FULL SUSPENSION/FULLY: een volledig geveerde fiets met dempingelementen aan de voor- en achterkant. In tegenstelling met de full suspension is de hardtail alleen voor geveerd.

GELEIDEWIELTJE: kleine gekartelde wieltjes van de achterderailleur. Het onderste geleidewieltje vangt de spanningsverschillen van de ketting op. Het bovenste brengt de ketting in de juiste positie.

GELZADEL: inmiddels zeer gebruikelijk voor zadels. Het gel dat zich in het zadel bevindt (doorgaans siliconen) moet tegemoetkomen aan de natuurlijke anatomie en voor een betere drukverdeling zorgen.

GEREEDSCHAP: zorg dat u altijd een min of meer uitgebreide set gereedschap bij de hand hebt. Een setje inbussleutels en een gecombineerde steek-/ringsleutel (grootte 10, 13, 15) of een verstelbare schroevendraaier bieden vaak uitkomst; een platte en een kruiskopschroevendraaier evenals de plakspullen mogen niet ontbreken in het zadeltasje. Tijdens langere tochten is het bovendien verstandig om een reservebinnenband mee te nemen. In de werkplaats van zowel de professionele fietsenmaker als de ambitieuze doe-het-zelver komen we het meest uiteenlopende gereedschap tegen, van bandafnemers en spaakspanners tot kettingponsen.

GUSSETS: kleine stukjes plaatstaal die op speciale plekken van het frame worden gesmeed om de stevigheid te vergroten.

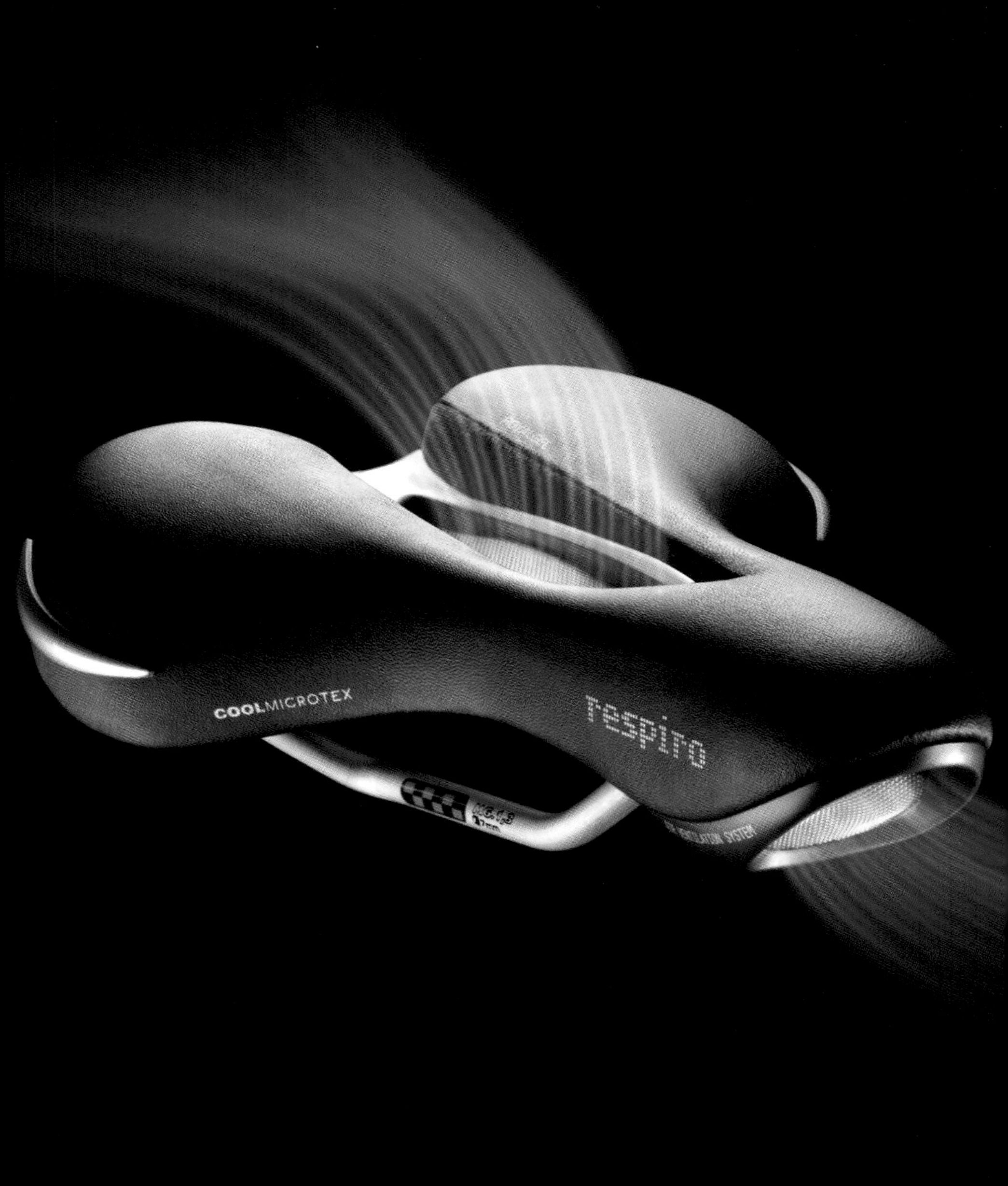

COOLMICROTEX

respiro

HALOGEENLAMP: het glaslichaam van deze lampen is gevuld met gas dat onder andere de oververhitting van de gloeidraad verhindert. Zo wordt de draad heter en het licht witter. Het lijkt daarom bijzonder licht en helder. Men kan niet alleen zelf beter zien maar wordt ook beter gezien.

HANDVATTEN: deze worden van verschillende materialen gemaakt en over de uiteinden van het stuur geschoven. Bij mountainbikes zijn ze doorgaans open voor de bevestiging van bar-ends.

HELMEN: essentieel veiligheidstoebehoren voor de fiets. Het is onder kinderen al zeer gebruikelijk om een helm te dragen en ook steeds meer volwassenen dragen een helm. In de handel zijn helmen verkrijgbaar van piepschuim en met een harde schaal. Belangrijk is dat de helm stevig is, goed ventileert en de juiste pasvorm heeft.

HOLLE VELGEN: deze velgen zijn doorgaans van aluminium vervaardigd en zijn voorzien van een holle ruimte. Het gevaar op spaakbreuk is bij deze velgen aanzienlijk kleiner.

HYDRAULISCHE REMMEN: deze remmen brengen de kracht niet over middels een bowdenkabel, maar met olie. De remhendel brengt een zuiger in beweging die de olie door de olieleiding naar de cilinders perst. Deze duwen op hun beurt de remblokjes tegen de velg.

INBUSSLEUTEL: zeskantige sleutel die voor de bevestiging van vrijwel alle fietsonderdelen onontbeerlijk is.

INCH: 1 inch = 2,54 cm. De Engelse maateenheid wordt in de fietswereld voor alles gebruikt. Bijvoorbeeld voor de maat van een fiets – deze wordt uitgedrukt in de daarbijbehorende bandenmaat in inches, zoals 24 inch, 26 inch of 28 inch.

ITALIAANS DRAAD: soort schroefdraad voor een trapas dat wordt gebruikt bij racefietsen. Het heeft een speciale breedte en wordt haast uitsluitend door Italiaanse fabrikanten gebruikt.

KATTENOGEN: ronde voorlopers van de huidige reflectoren.

KERAMISCHE VELGEN: speciale velgen met een speciale keramische coating waardoor ze minder aan slijtage onderhevig zijn. Keramische velgen zijn wel erg duur.

KETTING: de fietsketting vormt een belangrijk onderdeel van de fiets. De ketting zorgt voor de overbrenging van de trapkracht van de pedalen naar het achterwiel. Er zijn twee maten fietskettingen: 1/2 x 1/8 inch voor fietsen zonder versnelling en fietsen met naafversnelling en 1/2 x 3/32 inch voor derailleurfietsen zoals racefietsen en mountainbikes.

KETTINGBLAD: wordt ook wel voortandwiel genoemd. Middels het kettingblad wordt de trapkracht op de aandrijfketting overgebracht. Doorgaans hebben fietsen met naafversnelling een, racefietsen twee en terreinfietsen drie kettingbladen. Hoe groter het aantal tanden op het kettingblad, des te groter de overbrenging.

KETTINGKAST: het merendeel van de fietsen zonder versnelling of met naafversnelling beschikt over een gesloten hoes van kunststof of aluminium om de kleding te beschermen tegen vuil van de ketting.

KEVLAR: uiterst belastbare kunstvezel van aramide. Wordt gebruikt voor de versteviging van banden.

KILOMETERTELLER: meetapparaat dat niet alleen de snelheid en de afgelegde afstand meet, maar tegenwoordig vaak ook de gemiddelde snelheid, dagkilometers of zelfs het calorieënverbruik. Deze laatste worden doorgaans met fietscomputers aangeduid. Het scherm wordt op het stuur gemonteerd en is met een kabel (of draadloos) verbonden met een sensor aan de voorvork. De sensor telt het aantal wielomwentelingen. Om de snelheid exact te kunnen berekenen, moet de omtrek van het wiel worden opgeslagen in de computer.

KINDERKAR: ideaal transportmiddel voor grotere of twee kleinere kinderen. Het is veilig uitgerust (rolbeugel) en wordt bevestigd aan de onderbuis.

KINDERZITJE: veilige mogelijkheid voor vervoer van kinderen. Tot een lichaamsgewicht van circa vijftien kilo wordt het kind doorgaans in een stoeltje voorop (in de rijrichting tussen stuur en zadel of tegen de rijrichting in voor het stuur) vervoerd. Voor de opbouw aan de achterkant op de bagagedrager bestaat een zitje met hoge rugleuning, gordels en voetsteunen. Het totale gewicht van kind inclusief zitje mag niet meer bedragen dan 25 kilo.

KLIKPEDALEN: pedaalvorm die de lange tijd gebruikelijke toeclips (soort beugeltje dat op de pedaal is gemonteerd) vervangt bij de racefiets en in toenemende mate ook bij de mountainbike. De schoen kan hierbij dankzij een metalen plaatje onder de zool in het pedaal worden vastgeklikt.

KOOI: onderdeel van de voor- en achterderailleur dat de ketting geleidt.

KOPLAMP: de koplamp werd vroeger van een gewone gloeilamp voorzien. Tegenwoordig worden doorgaans een halogeenlamp of led-lampjes gebruikt. Moderne koplampen beschikken vaak over geïntegreerde voorreflectoren en een automatische standlichtfunctie.

KRUISFRAME: reeds in de negentiende eeuw bekend, oorspronkelijk frame. Het kruis van het frame wordt gevormd door de buis die van het zadel naar de trapas loopt en door de buis die van het stuur naar de achteras gaat.

LAGE INSTAP: de gangbare naam voor herenfietsen zonder bovenbuis of ook voor fietsen waarvan de afstand tussen de grond en de onderbuis extra klein is. Het opstappen op deze fiets is veel eenvoudiger en daarom is hij zeer geliefd bij oudere mensen.

LED-LAMPEN: koplampen met kleine diodes. De lichtopbrengst van led-lampen is lager dan van halogeenlampen maar led-lampen hebben een veel langere levensduur.

LIGGENDE ACHTERVORK: de twee buizen die van de bracket naar de uitvaleinden aan de achterkant lopen.

LUCHTBAND: de uitvinding van John Boyd Dunlop in 1889 was baanbrekend en vormt nog steeds de basis voor vrijwel elke fietsband, ook al bestaan inmiddels ook tubeless banden. Aan het principe van de luchtband is sinds 1889 niets veranderd, afgezien van materiaal en kwaliteit.

LUCHTGEVEERDE VORK: bij deze vorken wordt de demping door lucht gestuurd.

Lug: verbindingsstuk om twee framebuizen met elkaar te verbinden. Vaak gebruikt bij hoekverbindingen.

Naaf: kogelgelagerde as van het wiel die aan het frame is bevestigd en is voorzien van gaatjes voor de bevestiging van de spaken.

Naafdynamo: dynamo die zich in de voornaaf bevindt. Het rendement van een naafdynamo is hoger dan van een banddynamo.

Naafversnelling: bij een naafversnelling bevindt de versnelling zich in de achternaaf. Hij werkt met een systeem van tandwielen, of wel een planeetwielmechanisme. Deze mechanische versnellingen worden al sinds honderd jaar gemaakt. Voordelen zijn dat ze weinig onderhoud behoeven en bovendien kunnen de dynamo en terugtraprem worden geïntegreerd.

Onderbuis: buis van het frame die van het balhoofd naar de bracket loopt.

ONDERHOUD: evenals bij de auto zouden ook de onderdelen van de fiets die de veiligheid dienen regelmatig moeten worden gecontroleerd. Dat geldt bijvoorbeeld voor remmen, banden, ketting, verlichting, versnelling maar ook voor de vastgeschroefde verbindingen en voor de stabiliteit van zadel en voorvork.

OPHANGOOGJES: om accessoires te kunnen bevestigen, worden op verschillende plaatsen aan de fiets ophangoogjes gesoldeerd.

PEDALEN: voetsteunen die in een rechte hoek tot de pedaalkrukken zijn bevestigd. Ze werden in 1853 voor het eerst gebruikt door Philipp Moritz Fischer. Aanvankelijk bestonden ze volledig uit metaal, later uit een combinatie van rubberen en kunststofonderdelen. Bij racefietsen zijn sinds de jaren tachtig van de twintigste eeuw de klikpedalen steeds gebruikelijker.

POEDERCOATING: deze stevige en milieuvriendelijke laag beschermt effectief tegen roest. Hiervoor worden kleine deeltjes van kunststof op het frame gespoten en vervolgens in de oven gehard.

POWER MODULATOR: deze voorkomt bij toerfietsen dat het wiel blokkeert doordat hij de remkracht doseert.

REFLECTOREN: een verkeersveilige fiets moet naast een voor- en achterlicht ook over de volgende reflectoren beschikken: rode achterreflector, cirkelvormige zijreflectie op beide wielen of gele reflectoren op de spaken van beide wielen en gele trapperreflectoren in beide pedalen.

REMANKER: bevestiging van de rem aan het frame bij trommel- en terugtrapremmen.

REMHENDEL: de hendel van de handrem bevindt zich doorgaans aan de rechterkant van het stuur.

REMKABEL: flexibele kabel die de remhendel verbindt met de remarmen.

REMMEN: met de remarmen worden doorgaans de remblokjes tegen de zijkant van de velg gedrukt om zo volgens het principe van de wrijving de snelheid te minderen. Er zijn veel verschillende remsystemen, waaronder cantileverremmen, trommelremmen of V-remmen.

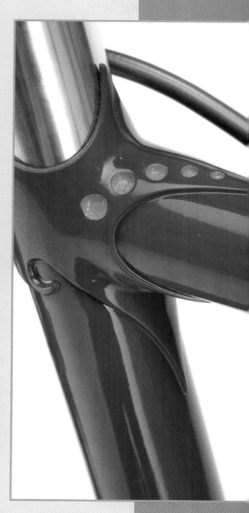

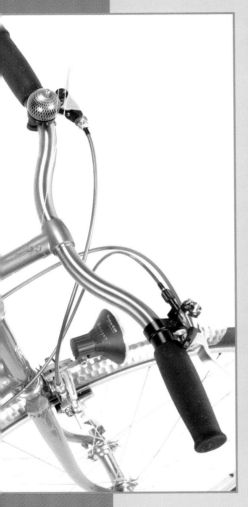

RINGSLOT: wordt ook wel spaakslot genoemd. Dit slot wordt aan de achterkant van het frame gemonteerd, meestal onder het zadel.

ROESTVRIJ STAAL: dit materiaal is uitstekend bestand tegen roest en wordt voornamelijk gebruikt voor de buizen van het frame. Vanwege zijn relatief hoge gewicht wordt het in toenemende mate verdrongen door aluminium en kunststof.

ROLDYNAMO: dynamo met een afwijkende vorm die onder de trapas wordt gemonteerd.

ROLLERBRAKES: geavanceerd remsysteem dat gebaseerd is op het trommelremsysteem. Hierbij worden rolletjes van binnen naar buiten in de remmantel geduwd.

ROLWEERSTAND: zo wordt het energieverlies genoemd dat ontstaat door wrijving (tussen band en wegdek maar ook in de lagers). Hoe hoger de bandenspanning, des te lager de rolweerstand.

SCHIJFREM: wordt doorgaans hydraulisch bediend. Deze rem werkt evenals bij de motor met een aparte schijf die aan de naaf is bevestigd. Ook de Engelse term 'discbrake' is gangbaar.

SLAG: een slag in het wiel ontstaat doorgaans als men te snel over een hindernis rijdt of als de spanning van de spaken onvoldoende is. Het wiel loopt dan niet meer mooi rond.

SNELSPANNERS: ook wel quick release genoemd. Maken het mogelijk het wiel eenvoudig te bevestigen of te vervangen door blokkering middels een hendel. Voor de montage is dus geen gereedschap nodig, hetgeen handig is bij reparaties of transport van de fiets.

SPAAKNIPPELS: soort moertjes om de spaken op spanning te houden. Ze bevinden zich in de nippelgaatjes in de velg.

SPAKEN: zo heten de staven die zich tussen de naaf en de velg bevinden. Ze worden gespannen om het wiel te verstevigen.

STANDLICHT: een dynamo zorgt voor de stroomvoorziening van de verlichting. De dynamo slaat de niet-gebruikte energie op in een accu. Als de fiets stilstaat en de dynamo geen stroom meer levert, voedt de accu vervolgens de lampen. Standlicht komt de veiligheid ten goede, bijvoorbeeld als u in het donker met de fiets voor een stoplicht wacht.

STEEK: bij fietsen met twee of drie kettingbladen worden de bladen aan elkaar vastgeschroefd. De afstand tussen de schroeven is de steek. Deze bepaalt hoe klein het kleinste kettingblad mag zijn.

STUUR: een dwars op de rijrichting gemonteerde stang die de fiets in de gewenste richting brengt. Tegenwoordig zijn er talloze vormen van recht tot gekromd of speciale sturen voor mountainbikes en racefietsen.

STUURLINT: zelfklevend lint voor meer grip. Vooral bij racefietsen.

STUURPEN: onderdeel dat het stuur met de vork verbindt.

TANDKRANS: zo worden de achterste tandwielen genoemd. Het aantal varieert tussen vijf en negen. De kleinste tandkrans heeft meestal 11 en de grootste 28 tanden.

TERUGTRAPREM: onderhoudsarme, maar minder effectieve achterrem die in werking wordt gezet door de pedalen met kracht naar achter te trappen. Is in Nederland erg gebruikelijk voor kinderfietsen en stadsfietsen.

TRAPAS: ook wel bracketas genoemd. Brengt de trapkracht van de pedalen over op het kettingblad.

TRAPBEKRACHTIGING: elektrische hulpmotor voor ondersteuning tijdens het fietsen. Niet geschikt voor snelle fietsers aangezien de maximumsnelheid van een elektrische fiets (niet te verwarren met een brommer) bij 25 kilometer per uur ligt.

TROMMELREM: remsysteem waarbij de remblokjes naar buiten tegen de remtrommel worden geduwd. De trommelrem is minder gevoelig voor vuil dan de velgrem, maar doorgaans minder effectief.

Uitvaleinden: deze bevinden zich aan de achterkant onder het frame en aan het uiteinde van de vork en zijn blootgesteld aan hoge belastingen. Bij zeer goede fietsen zijn de uitvaleinden dan ook gesmeed.

Veerelementen: elementen om trillingen en schokken af te zwakken.

Veerweg: de mate waarin de wielen kunnen in- en uitveren, ofwel de afstand tussen onbelaste toestand en volledige belasting. Hoe meer veerweg beschikbaar is, des te zachter mogen de veren zijn.

Velgen: het dragende deel van het wiel is gemaakt van staal of aluminium, maar ook wel van carbon of zelfs titanium. De velg is door middel van spaken verbonden met de naaf. Het velgbed houdt de binnenband op zijn plaats. Bij velgremmen vormt de velg het remoppervlak doordat de remblokjes tegen de velg worden gedrukt.

VELGLINT: dit noodzakelijke plakband van kunststof of katoen beschermt de binnenband tegen beschadigingen die worden veroorzaakt door de wrijving.

VERBINDINGSSTANG: inklapbare installatie aan de fiets waarmee een kinderfiets op sleeptouw kan worden genomen. Het voorwiel van de kinderfiets wordt daarbij opgetild.

VOORLAMP: de voorlamp moet zo zijn ingesteld dat de lichtkegel niet meer dan tien meter voor de fiets het wegdek raakt, zodat hij andere verkeersdeelnemers niet verblindt.

VORK: de belangrijkste verbinding van het stuur met het voorwiel wordt zwaar belast. Daarom wordt zelden aluminium gebruikt en heeft staal de voorkeur. Om de stevigheid te vergroten werden de zogenoemde unicrown-vorken ontwikkeld die geen balhoofdlug hebben.

V-REM/V-BRAKE: de opvolger van de cantileverrem. Al in 1990 ontstond de eerste Wie-brake, vernoemd naar de uitvinder, de Zwitserse framemaker Florian Wiesmann.

VRIJWIEL: het vrijwiel wordt op de naaf geschroefd en zorgt ervoor dat pedalen en ketting gescheiden worden van de draaibeweging van het wiel. Dit mechanisme maakt het mogelijk dat de fietser kan stoppen met trappen als de fiets in beweging is.

WIELBASIS: de afstand tussen de twee wielassen.

WIELRENBROEK: speciale broek van synthetisch materiaal. Hij laat vocht goed door en droogt snel. De broek heeft een zeemleren zitvlak voor meer comfort en wordt zonder ondergoed gedragen.

Y-FRAME: volledig geveerde frames hebben vaak de vorm van een Y en worden daarom ook wel Y-frames genoemd.

Zadel: werd aanvankelijk alleen van leer gemaakt, tegenwoordig ook van kunststof. Zadels onderscheiden zich niet alleen in materiaal en opbouw maar ook in vorm: dameszadels zijn achter breder en voor korter dan herenzadels. De smalle, lange vorm van de zadels voor racefietsen staan verschillende zitposities toe.

Zadelbuis: wordt ook zitbuis genoemd. Deze buis loopt van het bracketstel naar de zadelpen.

Zadelonderstel: een traditioneel vervaardigd zadel heeft een onderstel voor de vering en stevigheid.

Zadelpen: holle buis waarmee het zadel op het frame wordt gemonteerd.

Zadeltas: klein tasje voor gereedschap dat onder het zadel kan worden gehangen.

ZIJREFLECTIE: kan worden gerealiseerd door middel van aan de spaken gemonteerde dubbelzijdige gele reflectoren of door de witte reflecterende band aan weerszijden van de fietsband. De witte band biedt minder veiligheid aangezien hij sneller vies wordt.

ZITHOOGTE: de optimale zithoogte kunt u vaststellen door op de fiets te gaan zitten en uw hak op de pedalen te plaatsen. Als de pedaal zich in de laagste positie bevindt, moet de crank parallel lopen aan de zitbuis. Uw been moet hierbij vrijwel geheel gestrekt zijn.

Wielersport

Tot het uiterste gaan

WEDSTRIJDEN OP TWEE WIELEN

Vrijwel gelijktijdig met de uitvinding van de fiets ontstonden ook de wedstrijden. In 1817 vond Karl Friedrich Drais von Sauerbronn zijn bestuurbare loopfiets, de draisine, uit en al twee jaar later reden in Parijs de eerste sporters om het hardst. De eerste wegwedstrijd vond waarschijnlijk in Amiens plaats over een afstand van 500 meter.

De afstanden werden steeds langer. In 1869 snelden de renners tijdens de langeafstandswedstrijd Parijs-Rouen, die als de eerste internationale wegwedstrijd geldt, over een afstand van in totaal 130 kilometer over de Franse wegen. Elf jaar later vond de wedstrijd Parijs-Milaan-Parijs plaats. En tijdens de langeafstandswedstrijd Parijs-Brest-Parijs legden de renners een afstand van 1196 kilometer af zonder onderbrekingen. Intussen worden weer 'humane' afstanden afgelegd, doorgaans tussen de 150 en 250 kilometer lang.

In de geschiedenis van de wielersport is veel veranderd. De fietsen werden lichter, de renners bereidden zich steeds gerichter voor op de wed-

strijden en leefden steeds gezonder. De tijden dat tourren-
ners wel eens een biertje dronken, liggen definitief achter
ons – hoewel het juist bij de Tour voorkomt dat op de laatste dag op weg naar Parijs, als de wedstrijd eigenlijk al is
beslist, met champagne wordt geklonken – op de fiets.

Een constante factor in de geschiedenis van de wielersport is het feit dat het er niet altijd even eerlijk aan toe gaat.
In 1904 bijvoorbeeld werd de renner Maurice Garin gediskwalificeerd – hij zou een deel van het traject met de trein
hebben afgelegd hoewel andere renners zich door auto's de
berg op hadden laten trekken. De renners zaagden de fietsen van hun concurrenten in, sneden remkabels kapot of
strooiden jeukpoeder bij elkaar in het tricot. Soms werden
ook toeschouwers handtastelijk en trokken de grootste concurrent van hun favoriete renner uit het zadel.

Doping is een zeer oud verschijnsel. Sommige middeltjes bevorderen het uithoudingsvermogen, andere pompen de spieren op of onderdrukken pijn bij de sporter. De situatie doet soms aan als een wapenwedloop. Zodra er nieuwe wegen worden ontdekt om dopinggebruik te bewijzen, zoeken vindingrijke artsen naar nieuwe methoden om het reglement een hak te zetten.

Ook de teamspirit werd steeds belangrijker. In zijn eentje kan een renner een wedstrijd haast niet winnen, want hiervoor is de luwte die achter de rug van een andere renner ontstaat een veel te doorslaggevend element. In tegenstelling tot voetbalelftallen gaat het bij wielerteams vrijwel nooit om lokale of regionale organisaties maar is het een losse combinatie van renners met

dezelfde tricotkleur en gemeenschappelijke sponsors.

De wegwielersport is de discipline met de langste geschiedenis maar is slechts een van de vele disciplines. Halverwege de jaren zeventig ontstond de mountainbikesport en deze werd al gauw erg populair. Veel fans keerden de weg de rug toe en gingen liever off-road. Ook het baanfietsen verloor aan populariteit en fietspolo en kunstfietsen werden eveneens op een zijspoor gezet. De in acrobatisch opzicht veeleisende BMX-sport werd voor het jaar 2008 tot een olympische discipline verklaard.

Het wordt graag vergeten maar het is desondanks van enorme betekenis: het fietsen als breedtesport. Miljoenen mensen fietsen. Ze trekken er in het weekeinde op uit met hun gezin of fietsen met hun racefiets door de naburige heuvels. En hierbij draait het niet om overwinning of nederlaag maar louter om gezondheid, plezier en ontspanning.

Outdoor

ETAPPEWEDSTRIJDEN

Deze zin bevat veel waarheid: 'De gele trui,' zo zei de Duitse wielrenner Jan Ullrich ooit, 'heb ik pas de voorlaatste dag nodig. Onderweg levert het alleen maar stress op.' En dit is de essentie van etappewedstrijden: pas op het eind wordt afgerekend. Soms is dat pas na meer dan twintig dagen.

Bij etappewedstrijden rijden de renners meerdere dagen achter elkaar om het hardst. Soms zijn er tussendoor enkele rustdagen. De afzonderlijke tijden van de renners worden vervolgens opgeteld en wie de minste dagen, uren en minuten nodig heeft gehad, wint. Althans het algemeen klassement.

Hier streeft bij grote wielerrondes zoals de Tour de France echter alleen een enkeling naar. Veel renners zijn al blij als ze de wedstrijd niet voortijdig hoeven op te geven – hetzij vanwege uitputting, blessures of ziekte.

Sommige renners zetten in op deelsuccessen. Zo lonken bijvoorbeeld bij de Tour veel renners naar de groene trui voor de renner met de beste puntenstand – voor elke tussentijdse sprint worden punten toegekend. Veel prestige levert ook de bolletjestrui op. Deze mag worden gedragen door de leider van het bergklassement.

Etappewedstrijden zijn voor professionele wielrenners een beproeving. En dat niet alleen vanwege de lichamelijke uitdaging. Tijdens een wielerronde brengen de renners soms vier weken door in hotelkamers en bovendien elke dag in een andere hotelkamer. Regeneratie van het lichaam is dan ook cruciaal. En hiervoor heeft elke renner zijn eigen recept: 'Het is fataal om aan de wedstrijd te denken voordat je in slaap valt,' heeft de Spanjaard Pedro Delgado ooit beweerd. 'Dan word je de volgende ochtend namelijk wakker met het gevoel dat je de hele nacht hebt gefietst.'

In vrijwel elk land worden etappewedstrijden gereden. Sommige gaan ook door een bepaalde regio zoals de Ronde van het Baskenland in Spanje of de Dauphiné Libéré in Zuidoost-Frankrijk. De bekendste wielerrondes zijn de Tour de France, de Giro d'Italia en de Vuelta a España.

EENDAAGSE WEDSTRIJDEN

In tegenstelling tot de wielerrondes die soms meerdere weken duren, staat bij deze wedstrijden de winnaar snel vast. Daarnaast zijn eendaagse wedstrijden niet alleen de oudste discipline van de wielersport maar ook de gebruikelijkste. Het spectrum loopt uiteen van kleine amateurwedstrijden tot de klassieker Milaan-San Remo.

De beroemdste eendaagse wedstrijden gelden als klassiekers. Ze hebben een decennialange geschiedenis en op de lijst van overwinnaars prijken grote namen als Eddy Merckx of Jacques Anquetil. De vijf klassiekers worden – heel pathetisch – 'monumenten van de wielersport' genoemd: Milaan-San Remo, de Ronde van Vlaanderen, Parijs-Roubaix, Luik-Bastenaken-Luik en de Ronde van Lombardije. De belangrijkste eendaagse wegwedstrijd, het wereldkampioenschap wielrennen, vindt elk jaar plaats in een ander land.

PARCOURS

In een aspect verschillen de kleine wedstrijden van de grote. Vaak moet het parcours meermaals worden afgelegd. Dat wil zeggen dat de renners om op

een afstand van 131,75 kilometer te komen een parcours van 4,25 kilometer in totaal 31 keer moeten rijden. Hierdoor hoeft de organisator zich minder moeite te getroosten om het parcours af te zetten.

CRITERIA

Een bijzondere vorm van de eendaagse wegwedstrijden is het zogeheten criterium. De afstand van een criterium is heel kort, soms maar een kilometer lang. Bij een criterium worden bij de veelvuldige tussentijdse sprints punten vergeven. Aan het eind wint de renner met de meeste punten – zelfs als hij pas als tweede over de finishlijn rolt. Hoewel de laatste sprintpunten wel dubbel tellen.

De sportieve waarde van deze criteria is evenwel omstreden. Het zijn geen officiële wedstrijden van de Internationale Wielerunie UCI. En de renners komen dan ook niet om wereldranglijstpunten te verzamelen, maar vaak vanwege de geldpremies. De criteria worden ook wel met een geringschattende ondertoon 'kermiswedstrijden' genoemd.

Voor de toeschouwers aan de kant hebben criteria echter een heleboel voordelen. Ze zien de renners meerdere keren voorbij komen en niet maar één keer zoals bij de Tour de France. En dankzij de talrijke tussentijdse sprints zijn criteria vaak spannende wedstrijden om naar te kijken.

TIJDRIJDEN

Een mens, een fiets, een weg – het gevecht tegen de klok is een heel bijzondere discipline binnen de wielersport. Tactische spelletjes heb je hier niet. Bij het tijdrijden wordt de wielersport in zekere zin teruggebracht naar de essentie: zo snel rijden als maar mogelijk.

Voor renner en materiaal vormt dit een bijzondere uitdaging. Tijdens een wegwedstrijd kan de renner af en toe zijn krachten sparen om vlak voor de finishlijn te proberen aan kop te komen. Bij het tijdrijden mag de renner zichzelf niet ontzien, want bereik je niet volledig uitgeput de finishlijn heb je niet snel genoeg gereden, aldus de gangbare mening.

Bij het gevecht tegen de klok wordt een speciale uitrusting ingezet. De fietsen zijn geoptimaliseerd voor het tijdrijden en de renners zitten diep voorover gebogen boven het stuur en dragen speciale, aërodynamisch gevormde helmen.

Twee interessante vormen zijn de koppeltijdrit en de ploegentijdrit – hierbij zijn de renners samen met hun teamgenoten onderweg en mogen de luwte van hun voorman gebruiken om krachten te sparen. Het resultaat: een nog hogere gemiddelde snelheid.

Etappes voor tijdritten zijn korter dan normale etappes. Ze zijn soms 15 en soms 55 kilometer lang en vormen inmiddels een wezenlijk onderdeel van rondes. Vaak is deze speciale discipline medebepalend voor de beslissing van de wedstrijd. Slechte tijdrijders hebben vrijwel geen kans om een wedstrijd als de Tour de France of de Giro d'Italia te winnen.

Tijdritten worden meestal op vlakke trajecten maar soms juist op zeer steile trajecten gereden. Deze klimtijdritten zijn voor de toeschouwers weliswaar een genoegen maar minder voor de renners die bijvoorbeeld zo snel mogelijk van 650 meter naar 1850 meter omhoog moeten zwoegen.

Een bijzondere variant van het tijdrijden is de zogeheten uurwereldrecord op de baan. Hier proberen de renners binnen een uur een zo groot mogelijke afstand af te leggen. Het eerste record staat op naam van de oprichter van de Tour Henri Desgrange met 35,325 kilometer. Hierom kunnen de huidige recordhouders alleen maar lachen: de Tsjech Ondrej Sosenka stelde op 19 juli 2005 in Moskou in het olympisch wielerstadion Krylatskoje een nieuw record op van 49,7 kilometer.

BMX/TRICKBIKE

Het jaar 1973 wordt algemeen gezien als het geboortejaar van de mountainbike-sport. In dat jaar raasden pioniers met fietsen van het merk Schwinn Cruiser de Californische Mount Tamalpais naar beneden. Deze Cruisers leken niet op de sportfietsen zoals we ze tegenwoordig kennen, maar waren wel stevig gebouwd en hadden dikke ballonbanden. Ze luidden een generatiewisseling in. Tot dit moment waren racefietsen het enige fietstype dat voor sportieve doeleinden werd gebruikt. De technische vooruitgang was niet te stuiten en tegenwoordig kennen we een hooggespecialiseerde mountainbike-industrie.

In dit jonge maar snelgroeiende segment van de wielersport onderscheiden we verschillende disciplines: downhill, dual-slalom en cross country. Daarnaast is er ook de mountainbike-marathon waarbij de rijders over een lange afstand van ten minste 110 kilometer duizenden kilometers in hoogte moeten overbruggen.

Cross country is de belangrijkste deeldiscipline en sinds 1996 ook olympisch. De wedstrijden worden op rondlopende circuits met een lengte van 4,5 tot 6 kilometer gereden. Het aandeel asfalt van het traject mag niet meer dan een tiende bedragen. De wedstrijden van de wereldcup voor mannen duren ongeveer 120 minuten en voor vrouwen 105. Zodra de tijd van de eerste ronde bekend is, bepaalt de jury hoeveel ronden er in totaal moeten worden gereden. De wereldcup is na de Olympische Spelen en de wereldkampioenschappen het jaarlijkse hoogtepunt voor de sporters.

De trajecten van cross country kunnen verraderlijk zijn – met steile hellingen en technisch moeilijke afdalingen. Ze zijn zo opgezet dat de rijders technisch moeilijke gedeelten kunnen volbrengen zonder dat ze moeten afstappen en hun fiets moeten dragen. Een cross-countryrijder moet niet alleen sterk zijn en over een groot uithoudingsvermogen beschikken, maar moet ook technisch goed onderlegd zijn. Deze grote afwisseling en het harde gevecht om de plaatsen maakt deze discipline zo aantrekkelijk.

Downhill betekent letterlijk zoveel als bergaf. Weliswaar in een hels tempo. Over succesvolle downhillrijders wordt ook wel gezegd dat ze hun hersens bij de start moeten afgeven. De wedstrijd wordt gewonnen door degene die een afdaling op een gemarkeerd traject als eerste volbrengt. Soms beslissen tiendenseconden over overwinning of nederlaag. Met wel tachtig kilometer per uur scheuren ze over een terrein dat bezaaid is met stenen, wortels, losse takken en andere hindernissen, waar ze overheen rijden of die ze moeten zien te ontwijken. Absolute controle over de fiets is voor de downhillsport dan ook cruciaal.

De uitdaging voor de rijders bestaat erin om de heikele balans te vinden tussen zo hard mogelijk rijden met zo min mogelijk gevaar op valpartijen. Downhillfietsen zijn beduidend zwaarder dan normale mountainbikes. Ze wegen tussen 18 en 22 kilo, hebben doorgaans negen versnellingen en zijn vanwege hun specifieke vering niet geschikt om mee te klimmen. Downhill is de gevaarlijkste en spectaculairste vorm van de mountainbikesport, waarbij het steeds opnieuw tot levensgevaarlijke valpartijen komt.

Bij de dual-slalom nemen twee of meer rijders het tegen elkaar op. Op een dag worden meerdere wedstrijden gereden en de winnaars plaatsen zich voor de finale. In de finale telt niet meer de tijd maar alleen nog de vraag: wie rolt als eerste over de finishlijn?

De mountainbikesport heeft met de in 1980 in de Elzas geboren Julien Absalon al een legende voortgebracht. De Fransman geldt als beste mountainbiker aller tijden – met een olympische titel, zes wereldtitels en drie Europese titels. Absalon staat niet alleen bekend als een rijder met uithoudingsvermogen en excellente techniek, maar beschikt tevens over een andere, zeer belangrijke eigenschap. Hij is gek op modderige banen en regenachtig weer.

CYCLOCROSS

Op twee wielen overal dwars doorheen? Dat gebeurde al voor de uitvinding van de mountainbike. Deze discipline heet cyclocross of veldrijden. Bij veldrijden jagen renners – licht aangepaste – race-fietsen over bospaden en door modder-poelen. Overigens bij voorkeur in de winter. En zo is deze sport feitelijk ont-staan: wegwielrenners zochten naar een mogelijkheid om ook in het koudere jaargetijde te kunnen trainen.

De afstanden die bij veldrijden worden gereden zijn kort, meestal slechts enkele kilometers, maar des te verraderlijker. Een klassieker bestaat uit korte maar extreem steile stukken en hindernissen waarbij de renner moet afstappen en de fiets op zijn schouders moet nemen. Op andere stukken van het traject wordt van de renners maxi-male, haast virtuoze fietsbeheersing verlangd, bijvoorbeeld als ze de fiets op nat gebladerte door een smalle bocht moeten brengen. En natuurlijk in volle vaart en zonder te vallen – en zonder tijd te verliezen.

De fietsen die de renners gebruiken, zijn racefietsen, hetgeen vooral is te herkennen aan het stuur. Wel zijn de fietsen op enkele essentiële punten aangepast: de banden zijn meestal breder en hebben meer profiel. Bovendien zijn de frames en velgen steviger dan bij de wegracefiets. Crossfietsen hebben vaak een tweede remhendel op het stuur. Soms is ook de bovenbuis afgevlakt, zodat de renners de fiets beter op de schouders kunnen nemen als ze onder de modder een steile heuvel opsnellen.

Veldrijden heeft zich van surrogaat in de wintermaanden intussen tot een zelfstandige discipline ontwikkeld met zijn eigen lands- en wereldkampioenschappen. De eerste wereldkampioenschap vond in 1950 in Parijs plaats. Winnaar was de Fransman Jean Robic. Maar nog steeds is cyclocross erg geliefd als compensatie in de winter, en niet alleen voor wegwielrenners maar ook voor mountainbikers.

Indoor

BAANRENNEN

Baanwedstrijden worden uitgevochten in het hoogste bereik van het menselijk prestatievermogen. Daarom beschikt de baanfiets over verschillende technische eigenschappen die het de renner mogelijk maken om ook op beperkte ruimte snel te reageren.

De protsige accessoires van andere types fietsen zien we niet bij de baanfiets aangezien deze de snelheid slechts negatief zouden beïnvloeden. Speciale betekenis heeft vooral de wendbaarheid die door de korte wielbasis van minder dan 95 centimeter en een steile stuurhoek van meer dan 74 graden wordt bereikt.

Om het gevaar op een valpartij te verkleinen heeft de baanfiets een vast verzet ofwel een vast tandwiel op de naaf. De baanwielrenner moet continu blijven trappen, maar krijgt hierdoor meer stabiliteit. Een baanfiets heeft ook geen versnellingen, aangezien deze bij het baanfietsen alleen voor wrijvingsverliezen zouden zorgen.

Omdat bij baanwedstrijden alles om snelheid draait, ontbreken ook de remmen. Het verminderen van snelheid is dankzij het vast verzet mogelijk door de pedalen met spierkracht iets tegen te houden. Om te voorkomen dat hij tegen een langzamere concurrent opbotst, wijkt de baanwielrenner eenvoudigweg uit.

Dankzij de stabiele 27 inch grote wielen met tubes hoeven de renners zich hierom geen zorgen te maken, want de banden bieden veel grip en glijden soepel.

Om te zorgen dat de banden absoluut veilig aan de velgen zitten, worden ze met speciale lijm bevestigd. De spaken worden op de plekken waar ze zich kruisen verstevigd om spaakbreuk tegen te gaan. Om de luchtweerstand te minimaliseren, hebben baanfietsen een gereduceerd aantal spaken: in plaats van 36 zijn het 24 of zelfs nog minder. Eenzelfde functie heeft ook het aërodynamische stuur, dat lijkt op het stuur van de racefiets. De renners nemen een diep voorovergebogen houding aan waardoor ze hogere snelheden bereiken.

Handig is in dit opzicht ook het zadel dat enigszins naar onder wijst. Deze houding ondersteunt de renner en heeft bovendien een positief effect op de trapfrequentie. Deze ligt overigens bij ongeveer 110 tot 150 omwentelingen per minuut. Meer componenten zijn vaak krachtrovend en hebben een negatief effect op de beweeglijkheid. Professionele renners werken daarom uiterst nauwkeurig alle afzonderlijke componenten van hun fiets bij om een perfecte setting te bereiken. De baanfietsen zijn op openbare wegen niet toegelaten. Mocht u interesse hebben, dan kunt u een kijkje nemen bij een van de talrijke verenigingen.

FIETSPOLO

De eerste indruk van een onwetende toeschouwer die voor het eerst een fietspolospel gadeslaat, zou kunnen zijn dat het lijkt op voetbal hoog te paard. De sporters bewegen zich op hun fiets over het veld en proberen een bal in het doel te schieten of te schuiven.

Er spelen twee teams mee van elk twee spelers op een veertien bij elf meter groot veld dat is omzoomd door een dertig centimeter hoge balustrade. Althans doorgaans – er zijn ook grotere velden, zoals bij de variant met in totaal tien spelers die zich onderling bestoken op een veld zo groot als een handbalveld. Veldfietspolo bestaat ook en dit wordt op een voetbalveld gespeeld. Met een voetbal.

De belangrijkste regel luidt, zoals bij zo vele balsporten: het ronde moet in het hoekige worden geslagen en in dit geval met de fiets. Alleen de doelman mag de bal met zijn handen aanraken.

De kunst schuilt er met name in om het evenwicht te bewaren en zich door de tegenspeler niet uit het veld of van de fiets te laten slaan. Wie de grond raakt, mag de bal niet meer verder spelen tot hij een bepaalde lijn op het speelveld heeft gekruist of zich enkele meters van de bal heeft verwijderd.

Zo curieus als de sport is ook zijn ontstaansgeschiedenis. Aan het einde van de negentiende eeuw liep een klein hondje voor de hoge bi van de bekende kunstfietser Nicholas Edward Kaufmann. Kaufmann schoof het beestje met zijn voorwiel voorzichtig aan de kant en had plezier in deze manoeuvre. Samen met zijn collega's herhaalde hij het kunstje – voor toeschouwers en ditmaal met een polobal. De sport vond weerklank en fietspolo was geboren.

Kunstfietsen

Wie een carrière op de kunstfiets nastreeft, moet dit snel besluiten en liefst op de prille leeftijd van zes tot zeven jaar de basis leggen. Kunstfietsen impliceert zware trainingen, extreme eisen aan de bewegingscoördinatie van de fietsers en soms ook veel moed.

Het met losse handen staan op het stuur of het zadel geldt als eenvoudige oefening. De sprong van het zadel op het stuur levert al iets meer punten op van de jury. Het vastgelegde repertoire bestaat in totaal uit honderden verschillende oefeningen. Tijdens een kür van zes minuten moeten de kunstrijders laten zien wat ze kunnen.

Het kunstfietsen kan niet alleen individueel maar ook in groepen worden beoefend, bijvoorbeeld met twee kunstfietsers. Hiervoor zijn speciale oefeningen waarbij bijvoorbeeld een fietser de andere op zijn schouders draagt en zelf slechts op één wiel over de grond rijdt. In groepen van vier en zes fietsers ligt het accent meer op het rijden van bepaalde figuren, als synchroon zwemmen zonder water.

De fietsen zijn uiteraard speciaal vervaardigd. Ze hebben geen remmen, geen versnelling en een vast tandwiel – dua als je naar achteren trapt, rijd je ook achteruit. De sturen lijken op racesturen, maar zijn niet naar onder maar naar boven gekromd.

De belangrijkste wedstrijden

HET GEVECHT OM DE TITEL

Wielersport, zo wordt vaak gezegd, is de enige sport waarbij de sporters naar de toeschouwers komen. De wedstrijden voeren door grote steden en kleine plaatsjes, langs woningen, fabriekshallen, boerderijen en winkelcentra en soms ook door slaperige dorpjes in de bergen. Kortom: ze gaan rechtstreeks naar de fans.

Dit is mede een reden voor de immense populariteit van de wielersport – of het nu gaat om een ronde van meerdere weken of om een wedstrijd die na enkele uren voorbij is. Op de wielersportagenda hebben beide wedstrijdvormen hun eigen waarde.

We nemen als voorbeeld de rondes. Er zijn grote rondes zoals de Tour de France en kleinere zoals de Ronde van Polen. Ze hebben gemeen dat het bij beide om een reeks van meerdere etappes gaat, waarbij uiteindelijk diegene wint die in totaal de minste tijd nodig heeft gehad voor de hele afstand. Daarnaast kennen we verschillende speciale beoordelingen, zoals die voor de beste bergrijder of die voor de beste sprinter.

Dan hebben we de eendaagse wedstrijden. Veel van deze wedstrijden kennen een lange en roemrijke geschiedenis – Parijs-Roubaix bijvoorbeeld, een van de vijf klassiekers van de wielersport. Zo worden de vijf bekendste eendaagse wedstrijden genoemd – twee daarvan worden in Italië gereden, twee in België en een in Frankrijk.

De grootste professionele wedstrijden zijn samengevat in een reeks wedstrijden, de zogeheten 'ProTour'. Deze werd ingevoerd door de Internationale Wielerunie UCI. Afhankelijk van het resultaat en de betekenis van de wedstrijd krijgen de renners punten. Aan het eind wordt een totaalklassement opgemaakt. De waarde is echter omstreden: een overwinning bij Parijs-Roubaix of de Tour de France is beslist meer waard dan het vlijtig puntjes verzamelen bij de ProTour.

De wegwedstrijden kunnen op de langste geschiedenis terugkijken. In de laatste decennia heeft de wielersport zich in verschillende richtingen ontwikkeld. Intussen bestaan er cross-countrywedstrijden, mountainbikewedstrijden en ook BMX-wedstrijden. De afgelopen jaren werd ook de vrouwensport steeds populairder hoewel deze – evenals het vrouwenvoetbal – nog steeds in de schaduw staat van de mannensport.

TOUR DE FRANCE

De Ronde van Frankrijk is de wielerwedstrijd bij uitstek. Een sportgebeurtenis van
de overtreffende trap die niemand onbe-
wogen laat – allerminst de renners zelf.
'Met de Tour heb je een haat-liefdever-
houding,' zei de Engelsman Sean Yates
ooit. 'Maar pas als je het jaar daarna weer
meedoet, weet je weer hoe afschuwelijk je
de Tour vindt.'

Yates is niet zo maar een renner. In
1994 leidde hij korte tijd het totaalklassement van de grootste, zwaarste en 'meest
moordende' wielerwedstrijd ter wereld.
Ongeveer 21 etappes moeten de renners
afleggen, 3500 kilometer binnen 21 dagen.
Soms in de verzengende hitte van de Provence, soms langs de winderige Noord-
Atlantische kust, soms in de ijle lucht van
de Alpen en Pyreneeën.

De Tour bestaat sinds 1903. De organisator was de sportjournalist Henri Desgrange. Hij wilde voor zijn lezers een
spannend sportevenement ensceneren en
hen ertoe bewegen de krant L'Auto te
kopen. Een getalenteerd renner was hij
overigens ook en hij zou zich ook een
begaafd organisator tonen.

Tegenwoordig leggen de renners de ene dag 170 kilometer en op andere dagen 227 kilometer af. Relatief lange afstanden dus, maar niets in vergelijking met vroeger. Voor de Eerste Wereldoorlog was 400 kilometer voor

een etappe niet ongebruikelijk. Met de tijd werden de dagtrajecten steeds korter, maar de gemiddelde snelheid steeds hoger – terwijl de eerste Tour nog met een gemiddelde van 26 kilometer per uur werd verreden, bereiken de renners tegenwoordig gemiddelde snelheden tot meer dan 40 kilometer per uur.

De winnaar mag aan het eind de maillot jaune mee naar huis nemen, de beroemde gele trui. Maar van oudsher geldt elke renner die de wedstrijd heeft uitgereden als winnaar. Wie na vier weken aankomt in Parijs en daar voor duizenden toeschouwers over de Champs-Elysées scheurt, mag zich terecht als overwinnaar beschouwen.

In 1910 ontstond bij de organisatoren het idee om de renners over de Pyreneeën te jagen – ook over de 2115 meter hoge Tourmalet. Octave Lapiz was de eerste renner die de pashoogte bereikte. 'Vervloekte moordenaars!' schreeuwde hij toen hij de organisatoren langs de kant van de weg zag staan.

De Ronde van Frankrijk heeft ook dodelijke slachtoffers geëist. Tom Simpson stierf in 1967 op een extreem hete dag, kort voor de top van de Mont Ventoux in de Provence. Hij was volgepompt met amfetamines. Zijn laatste woorden zouden hebben geluid: 'Zet me terug op de fiets.' Tegenwoordig staat op deze plek een gedenksteen en veel amateurrenners laten hier ter nagedachtenis aan Simpson een bidon achter.

De Tour kent enkele legendarische overwinnaars. De Amerikaan Lance Armstrong won de Tour tussen 1998 en 2005 zeven keer en is daarmee eenzame recordhouder. Vier

renners namen de gele trui vijf keer mee naar huis: de Fransman Jacques Anquetil (tussen 1957 en 1964), de Belg Eddy Merckx (1969–1974), de Fransman Bernard Hinault (1978–1985) en de Spanjaard Miguel Indurain (1991–1995).

Overigens is de Tour de France niet zwaarder dan bijvoorbeeld de Ronde van Italië. Het zijn vooral psychologische aspecten die de wedstrijd zo zwaar maken. Wie aan de Tour meedoet, is buitengewoon gemotiveerd. Bij geen andere wedstrijd wordt sneller gereden en gaat het er zo hard aan toe.

Althans aan de kop. Achter gaat het vaak puur om over-
leven. Ook de renners die geen kans maken om te winnen,
zijn nodig voor hun team. Ze brengen hun captain gedu-
rende de wedstrijd bidons of verlenen hun luwte. Wegwiel-
rennen is een teamsport en de prijzengelden worden
traditiegetrouw onder alle renners verdeeld.

GIRO D'ITALIA

De belangrijkste etappewedstrijd van Italië en de op een na belangrijkste van de wereld. De eerste wedstrijd vond plaats in 1909. Sinds halverwege de jaren negentig vindt de Giro in mei plaats. Vroeger was dat in september – in de periode waarop nu de Ronde van Spanje wordt gereden.

De Ronde van Italië duurt drie weken en bestaat uit vlakke etappes, gemiddeld zware trajecten en ritten door het hooggebergte. Ook twee individuele tijdritten behoren tot het programma. De leider van het totaalklassement draagt de maglia rosa, de Italiaanse tegenhanger van de gele trui bij de Tour de France.

Drie renners wisten de Giro drie keer te winnen, waaronder de twee Italianen Alfredo Binda (tussen 1925 en 1953) en Fausto Coppi (tussen 1940 en1953). Ook de Belg Eddy Merckx mocht de maglia rosa vijf keer mee naar huis nemen (tussen 1968 en 1974).

De Giro eindigt traditiegetrouw in Milaan. De Giro staat enigszins in de schaduw van de oppermachtige Tour de France. De favorieten voor een podiumplek bij de Ronde van Frankrijk rijden de Giro vaak alleen met aangetrokken handrem – als ze al meedoen.

De Italiaanse fans malen hier niet om. Als de Girostoet door Italië rolt, ligt het hele land plat. De Italianen versieren hun huis met roze slingers en moedigen de renners hartstochtelijk aan. De wedstrijd is

vooral voor Italianen van grote betekenis. 'Om in Italië opgemerkt te worden,' zei een begeleider van een wielerteam ooit, 'moet je de Giro winnen.'

En dat is verdomd moeilijk. Om te winnen moet bijvoorbeeld de legendarische berg Monte Zoncolan in de Italiaanse Alpen worden bedwongen, die in de wielerwereld bekend staat als de 'muur van Europa'. Het is een verraderlijke opeenhoping van steile wegen met stijgingen tot 22 procent. Al de avond van tevoren is de berg zo dicht bezaaid met fans dat er haast geen doorkomen aan is. In 2003 moest de Monte Zoncolan voor het eerst worden beklommen in het kader van de Giro en sindsdien maakt hij regelmatig deel uit van het programma.

Vuelta a España

Van de drie grote rondes wordt de Vuelta a España als laatste gereden. De Vuelta vindt plaats in september en duurt drie weken. De renners leggen ongeveer 3000 kilometer af. Evenals de Ronde van Italië staat ook die van Spanje in de oppermachtige schaduw van de grote Tour de France. Bij de Vuelta draagt de leider van het algemeen klassement geen gele of roze maar een gouden trui.

De eerste Vuelta vond in 1935 plaats en sinds 1955 wordt de wedstrijd jaarlijks gehouden. Oorspronkelijk vond de wedstrijd plaats in het voorjaar, maar halverwege de jaren negentig werd hij verplaatst naar het einde van het seizoen. De Vuelta staat bekend om zijn heuvelachtige en bergachtige etappes – in het verleden waren het dan ook vaak de klimmers die de gouden trui mee naar huis mochten nemen.

Evenals de Tour eindigt ook de Vuelta in de hoofdstad. Als de renners in Madrid aankomen, hebben ze – sommige jaren althans – een van de zwaarste beproevingen doorstaan die de professionele wielersport te bieden heeft: de Alto de Angliru in Asturië.

Hierbij gaat het om een bergrit in het noordwesten van Spanje die de renners op een hoogte van 1570 meter boven de zeespiegel brengt. Natuurlijk worden bij de Tour bergen beklommen die duizend meter hoger zijn, maar tijdens de beklimming van de Alto de Angliru komen de renners steile stukken tegen met een stijgingspercentage van meer dan twintig procent.

De Alto de Angliru maakt pas sinds 1999 deel uit van het programma van de Vuelta. De organisatoren van de Ronde van Spanje waren op zoek naar een beklimming die zich kon meten met de reuzen van de Alpen van de Tour en de Giro. 'Vergeleken met de Alto de Angliru,' zei José Maria Jiménez, 'zijn alle andere klassieke bergen van de wielersport een fluitje van een cent.' Nu was Jiménez wel degene die de etappe op de Alto de Angliru toentertijd won.

WERELDKAMPIOENSCHAP WIELRENNEN

Een uitzondering op de lijst van de belangrijkste profwielerwedstrijden is het wereldkampioenschap wielrennen. Deze vindt elk jaar op een andere locatie plaats en bovendien rijden de renners niet in merkenteams maar in nationale teams. Maar ook hier draait alles om een hoop geld en prestige. De wereldkampioen mag het hele jaar de regenboogtrui dragen.

Dat levert prestige op. Maar de schaduw die de Tour de France op de wielersportwereld werpt is verpletterend: 'Het wereldkampioenschap en de Ronde van Spanje zijn de troost voor bangeriken en verliezers,' beweerde de renner Urs Zimmermann, die in 1986 derde werd bij de Tour de France.

Kortom: de gele trui die de Tourwinnaar mag dragen, is meer waard dan de regenboogtrui. Daar komt nog bij dat het wereldkampioenschap sinds halverwege de jaren negentig begin oktober plaatsvindt, dus kort voor het ein-

de van het wegseizoen. Veel renners hebben hun seizoen dan al beëindigd. Toch wordt het wereldkampioenschap naast de Tour en de Giro d'Italia als een van de belangrijkste wedstrijden gezien.

Het wereldkampioenschap bestaat uit twee delen. Een kampioenschap tijdrijden en een wegwedstrijd in verschillende rondes met een totale afstand van ongeveer 250 kilometer. Tegelijkertijd vinden ook de wegwedstrijden in de categorie beloften (jonge aankomende profrenners) plaats.

Of een renner aan het WK mag deelnemen, bepaalt de wereldranglijst van de UCI. De negen hoogst geklasseerde landen mogen negen renners afvaardigen, landen als Tunesië, Oezbekistan of Estland maar drie.

Het wereldkampioenschap wielrennen bestaat sinds 1927 en de eerste wedstrijd werd op de Nürburgring gereden. In tegenstelling tot de Tour de France is tot nu toe geen renner erin geslaagd het WK vaker dan drie keer te winnen – hierin slaagden de Italiaan Alfredo Binda, de Belgen Rik van Steenbergen en Eddy Merckx en de Spanjaard Oscar Freire.

PARIJS-ROUBAIX

Deze wielerwedstrijd staat ook bekend als de 'hel van het noorden' en de 'koningin van de klassiekers'. Parijs-Roubaix is een mythe. En een kwelling. De renners moeten ruim 250 loodzware kilometers afleggen, een deel daarvan over kasseistroken. De wedstrijd wordt sinds 1896 met Pasen gereden, waartegen de kerk nog tevergeefs heeft geprotesteerd.

Het parcours is elk jaar hetzelfde, afgezien van kleine aanpassingen. De naam van de wedstrijd is inmiddels alleen nog traditie, want sinds 1977 start de wedstrijd niet meer in Parijs maar in Compiègne, ongeveer tachtig kilometer ten noorden van de hoofdstad. De finish is echter nog wel in Roubaix. De wedstrijd eindigt in deze stad met 100.000 inwoners nabij de Belgische grens in een oude wielrenbaan. Evenals bij Milaan-San Remo behoort de wedstrijd tot de vijf 'monumenten' van de wielersport.

Kenmerkend voor de wedstrijd zijn de lange kasseistroken. Ze stammen deels uit de negentiende eeuw en worden door de Franse regering en enkele enthousiaste wielersportfans speciaal voor de wedstrijd liefdevol onderhouden. Een geluk voor de toeschouwers en pech voor de renners, want die worden hier stevig door elkaar geschud. Gevaarlijk zijn de kasseien bij regen – natte kasseien zijn erg glad. Dramatische valpartijen zijn dan ook haast een waarmerk van deze wedstrijd. En lekke banden. Beroemd-berucht is ook het Bos van Arenberg, een secteur pavé van 2400 meter lang die heel smal en hobbelig is en om veiligheidsredenen al eens uit het parcours werd gelaten.

Parijs-Roubaix is een van de wedstrijden waarbij de renner een held kan worden – en nu en dan ook een verliezer. Voor spannende anekdotes is deze klassieker ook

goed. Zoals in 2006, toen kort voor de finish de spoorbomen naar beneden gingen voor de neus van enkele renners. Ze besloten door te rijden en werden hierop gediskwalificeerd.

MILAAN -SAN REMO

Lang, langer, Milaan-San Remo: 290 kilometer staat aan het eind van de dag op de kilometerteller van de renners als ze – vermoeid, afgemat, uitgeput – in San Remo aankomen. De wedstrijd die sinds 1907 wordt gereden is van oudsher de langste eendaagse wielerwedstrijd op de kalender van de profs.

Milaan-San Remo of La Primavera betekent voor de profwielrenners aan het begin van het seizoen een vroege krachtmeting. Vooral voor de sprinters. Het parcours is, enkele uitzonderingen daargelaten, vrij vlak. Meestal eindigt de wedstrijd op het laatste stuk voor de eindstreep in een massasprint.

Meestal, maar niet altijd – want de wedstrijd kan ook al eerder zijn beslist. Ondanks het vlakke profiel hebben de organisatoren enkele bergen in het parcours opgenomen. Bijvoorbeeld twintig kilometer voor de finish de 240 meter hoge Cipressa. Of zes kilometer voor de eindstreep de 160 meter hoge Poggio. De zwaarste beproeving wacht halverwege de wedstrijd op de renners: de 530 meter hoge Passo del Turchino.

Milaan-San Remo behoort evenals Parijs-Roubaix, de Ronde van Vlaanderen, Luik-Bastenaken-Luik en de Ronde van Lombardije tot de zogeheten 'vijf monumenten' van de wielersport. In tegenstelling tot Parijs-Roubaix zijn de wegen nieuw en breed en er zijn geen kasseien. Bovendien start de Italiaanse wedstrijd ook daadwerkelijk in Milaan en niet tachtig kilometer noordelijker.

Sommige stukken van het parcours voeren spectaculair dicht langs de Riviera, hetgeen elk jaar weer mooie beelden voor televisie en kranten oplevert. A propos: net als de Tour de France wordt Milaan-San Remo door een krant georganiseerd en wel door de Italiaanse *Gazzetta dello Sport*.

Grote wedstrijden, grote winnaars – dat geldt ook voor La Primavera: de Belg Eddy Merckx won de wielerwedstrijd in de jaren zestig en zeventig in totaal zeven keer.

ZESDAAGSE WEDSTRIJDEN

De beste baanspecialisten die 's nachts op jacht zijn naar
rondes en punten: zesdaagse wedstrijden zijn waarschijnlijk
de populairste vorm van het baanwielrennen. Ze vinden 's
winters in hallen plaats en duren – zoals de naam al zegt –
zes dagen. Aan de wedstrijd nemen twaalf tot vijftien teams
van twee renners deel. De sportieve waarde is echter omstreden aangezien de wedstrijden gepaard gaan met veel amu-
sement als show, muziek en een uitgelaten stemming –
sixdays zijn een stijlmix van topwielersport en entertain-
ment.

De eerste zesdaagse wedstrijd vond in 1899 in de Madison Square Garden te New York plaats. In die tijd reden de

renners nog zes dagen zonder onderbreking, dus dag en nacht. Nu beginnen de wedstrijden pas 's avonds maar gaan meestal door tot in de vroege ochtenduurtjes.

Er bestaan verschillende disciplines: koppelkoersen over 30, 45 en 60 kilometer, de zogeheten jachten. Derny's in de luwte van motoren, puntenkoersen of achtervolgingen. Elke wielrenner neemt deel aan verschillende onderdelen. Bij koppelkoersen wisselen twee renners elkaar af. Een renner sprint om punten terwijl de ander uitrust. Het aflossen gaat heel geraffineerd. Als ze elkaar afwisselen, geeft de renner die gaat rusten de ander snelheid mee door middel van een armbeweging.

Bekend zijn vooral de zesdaagse wedstrijden in Amsterdam, Rotterdam, Gent, Dortmund, Berlijn, Bremen, Stuttgart, München, Grenoble, Kopenhagen en Zürich. Het enthousiasme voor deze wielersport neemt de laatste jaren echter af.

Bruno Risi en Kurt Betschart zijn het succesvolste koppel aller tijden voor wat betreft zesdaagse wedstrijden. Risi is vijfvoudig wereldkampioen in puntenkoersen en bovendien wereld- en Europees kampioen in koppelkoersen. De Zwitser staat bekend om zijn uithoudingsvermogen bij sprints. 37 Overwinningen bij zesdaagse wedstrijden heeft Risi met zijn koppel- en landgenoot Kurt Betschart behaald – een absoluut wereldrecord!

OLYMPISCHE SPELEN

In 1896 was het zo ver: in Athene vonden de eerste Olympische Spelen van de moderne tijd plaats. 262 Atleten – uitsluitend mannen – namen het tegen elkaar op. Ook op de fiets. Aan de ene kant op de baan, in een speciaal voor dit doeleinde gebouwd velodroom en aan de andere kant in een wegwedstrijd. De renners legden op een parcours van Athene naar Marathon en weer terug een totale afstand van 87 kilometer af.

Wielersport bleef een belangrijk onderdeel van de Olympische Spelen, zowel op de weg als op de baan. Met minimale aanpassingen: zo worden wedstrijden in ploegentijdritten niet meer gereden en ook de kortere tijdritten op de baan zijn geschrapt. Maar andere disciplines werden toegevoegd. Sinds 1996 is cross country olympisch en in 2008 zal in Peking ook BMX-race voor het eerst van de partij zijn.

De betekenis van een overwinning bij de Olympische Spelen is groot, hoewel een stuk lager dan een eindoverwinning bij de Tour de France – een bekend verschijnsel in de wielersport. Aangezien er vier jaar wachttijd tussen de wedstrijden zit, kan een olympische overwinning met een wereldtitel worden vergeleken – hoewel hier geen chique regenboogshirts te winnen vallen. Zowel de Tour als de Olympische Spelen behoren tot de drie grootste sportevenementen ter wereld – samen met het wereldkampioenschap voetbal.

De mooiste fietstochten van Europa

Op pad met de fiets

Europa als verenigd fietsland

Europa wordt steeds kleiner en dat merkt ook de fietser. Niet alleen omdat het voor het fietsen om het even is welke nationaliteit men heeft of welke taal men spreekt, maar ook omdat veel van de mooiste fietsroutes niet bij de landsgrens stoppen. Zo zijn er prachtige routes langs de Duits-Deense grens. En de Europese Fietsroute R1 van

Boulogne-sur-Mer tot Sint-Petersburg brengt zelfs over meer dan 3500 kilometer mensen, cultuur en natuur van negen Europese landen samen. Een ander voorbeeld is de geliefde Donauroute die van Passau naar Boedapest, dwars door vier Europese landen, de loop van de rivier volgt.

Als u eropuit trekt om vanaf het zadel Europa te ontdekken, zult u in de meeste landen prima voorwaarden aantreffen: uitstekend bewegwijzerde fietspaden, unieke landschappen en steden en doorgaans een hartelijk welkom. Op de volgende bladzijden stellen we de mooiste en belangrijkste fietslanden van Europa voor en laten de ongelooflijke diversiteit zien die overal te ontdekken valt.

België

CENTRUM VAN DE FIETSSPORT

België is een van de traditionele fietsnaties van Europa met schitterende sportevenementen als de Ronde van Vlaanderen en een zeer goed vertakt fietsroutenet. Doorgaans voeren deze over vlak terrein en zijn uitstekend geschikt voor een fietsvakantie.

Tot de geliefdste regio's voor fietsvakanties behoort de Vlaamse provincie Limburg. Meer dan 2000 kilometer aan fietspaden wachten hier op fietstoeristen die een ontspannen vakantie ambiëren. De routes voeren langs meren, bossen en velden.

Wilt u het noorden van het land met de fiets ontdekken, is ook de Vlaanderen Fietsroute een aanrader. Deze route voert door eenzame heidelandschappen en door fascinerende cultuursteden zoals Antwerpen en Gent. En u zou uw fietsvakantie met een schilderachtige ontdekkingsreis

kunnen verbinden. Zo zijn er speciale thematische routes, waarbij u bijvoorbeeld in de voetstappen van de oude Vlaamse meester Brueghel fietst. Het centrum van het fietsland België ligt in Vlaanderen, maar ook Wallonië is bezig zijn fietspadennet uit te breiden en aantrekkelijker te maken voor de fietstoerist.

Over het algemeen beschikt België over een uitstekende fietsinfrastructuur. Langs de gemarkeerde routes hebt u ruime keuze aan de meest uiteenlopende accommodaties – van een eenvoudige trekkershut tot een deftig hotel. En mocht u onderweg pech krijgen met uw fiets, dan kunt u uw fiets in vrijwel elke plaats laten repareren. Een ander voordeel is dat de fiets een vanzelfsprekend onderdeel van het wegverkeer vormt, wat het fietsen erg ontspannen maakt.

Duitsland

EEN LAND IN DE BAN VAN DE FIETS

De fiets is populair in Duitsland. Ongeveer 70 miljoen fietsen rollen door het land en jaarlijks komen hier meer dan 4,5 miljoen nieuwe fietsen bij. Ongeveer de helft van alle Duitsers stapt ook zo nu en dan in de vakantie graag op de fiets. Vooral het eigen land is hierbij erg in trek. Dat is geen wonder, want Duitsland beschikt over bijna perfecte omstandigheden. Honderden meestal goed gemarkeerde routes doorkruisen de veelzijdige landschappen en steden – niet in de laatste plaats omdat de overheid de afgelopen vijftien jaar haast een miljard euro in het fietspadennet heeft geïnvesteerd.

Onlangs werd in Duitsland de langste fietsroute van het land geopend. De Tour Brandenburg biedt met een lengte van 1111 kilometer een fascinerende reis door de geschiedenis langs een groot aantal kerken, burchten en kastelen. Langs de route liggen veertien steden met histori-

sche stadskernen, negen natuurparken en biosfeerreserva-
ten, bos-, moeras- en cultuurlandschappen, talrijke rivieren als Elbe, Havel en Spree en verschillende meren.

De route is typerend voor de verschillende fietsroutes
in Duitsland. De fietsroutes verbinden met een totale lengte van meer dan 100.000 kilometer uiterst gevarieerde
landschappen met unieke cultuurhistorische diversiteit.
Het natuurspectrum reikt van de stranden aan de Oostzee
en Noordzee, de Lüneburger Heide, het merengebied van
Mecklenburg, het Duitse middelgebergte als Sauerland en
Taunus, het Zwarte Woud en het Beierse Woud tot aan de
Alpen. Overal zien we historische steden en culturele
hoogtepunten met romantische dorpjes, pittoreske oude
stadjes of bruisende metropolen.

Ook zijn er speciale thematische routes. Zo kunt u in de voetsporen van de Romeinen fietsen of de Berliner Mauerweg volgen, die over een lengte van 160 kilometer de voormalige Berlijnse muur volgt, die het land veertig jaar in Oost en West verdeelde.

In Duitsland kan elke fietser zijn eigen voorkeuren en interesses samenvatten in een spannende of ontspannende fietsvakantie. Hiervoor hoeft u zich niet aan de gemarkeerde routes te houden, want over het algemeen is elke Duitse plaats goed te bereiken met de fiets.

Ook het mountainbiken komt niet te kort. Meerdere regio's bieden speciale trails aan, zoals het nationaal park het Beierse Woud. In deze landendriehoek van Beieren, Bohemen en Oostenrijk ligt het grootste bosgebied van Europa – een eldorado voor mountainbikers.

Maar in Duitsland is men nog niet tevreden over de behaalde resultaten. De komende jaren zullen twaalf landelijke routes ontstaan die zich over meer dan 11.000 kilometer uitstrekken. Negentig procent van deze routes bestaan al, maar de bedoeling is om ze allemaal te markeren met een uniform D-logo.

Denemarken

ZON, STRAND EN VEEL MEER

Het beeld van Denemarken wordt gekenmerkt door heerlijke kusten, bekoorlijke eilandjes en schilderachtige landschappen. En zo kunt u het land op de fiets ook leren
kennen. Denemarken heeft meer dan 8000 kilometer aan
fietspaden die goed bewegwijzerd zijn en de verste uit-
hoeken van het land bereiken – en niet alleen op het vasteland maar ook op veel van de kleine eilandjes.

Als u het land op de
fiets wilt ontdekken, zijn de
elf grote zogeheten nationale 'cykelrute' een aanrader.
De perfect, met blauw-wit-
te bordjes, gemarkeerde
routes beschikken over een
groot aantal knooppunten
zodat elke fietser zijn reis
individueel kan samenstellen. Drie van de routes voeren naar Kopenhagen en
ook langs de gehele kust
lopen fietsroutes.

De trajecten die hierbij worden afgelegd, zijn goed te doen aangezien het terrein vlak is. Ze zijn daarom erg geschikt voor gezinnen met kinderen of voor senioren. Bovendien is in Denemarken een fietsvakantie uitstekend te combineren met een strandvakantie. De meeste van de in totaal 3500 kilometer lange 'cykelrute' gaan van kustplaats tot kustplaats.

Naast de nationale fietsroutes bestaan routes als het gemeenschappelijke Deens-Duitse project van Berlijn tot Kopenhagen of speciale fietsroutes langs de grens tussen beide buurlanden.

Het toerisme is een van de belangrijkste bronnen van inkomsten van dit kleine noordelijke land– en daarom treft de fietstoerist een perfecte infrastructuur aan. Overal in Denemarken wachten voldoende accommodatiemogelijkheden in verschillende categorieën op de reizigers en ook de fietsservicenetwerk laat weinig te wensen over.

Finland

VLAKKE ROUTES EN STEILE TRAILS

Om bepakt met fiets af te reizen naar Finland is vooral voor twee groepen fietstoeristen interessant: gezinnen en mountainbikers. Aan de ene kant beschikt Finland namelijk over goede, rustige en veelal vlakke wegen voor ontspannen fietstochten, en aan de andere kant wachten ongerepte bossen en heuvels erop om door de off-roadbikers te worden ontdekt.

De gemarkeerde fietsroutes bieden gevarieerde toertochten. De routes voeren zowel door rustige landschappen met meren en bossen als door vredige plaatsjes of

zelfs door de hoofdstad Helsinki met zijn grootstedelijke allure. In Finland zijn in de steden en langs drukke wegen doorgaans aparte fietspaden aanwezig.

Een bijzonder mooie route is de Via Finlandia die de waterwegen in het binnenland van Helsinki naar Vaasa aan de westkust volgt. Hier komt u enkele van de mooiste bezienswaardigheden van het land tegen. Er zijn daarnaast andere zorgvuldig uitgewerkte routes die deels minder toeristische gebieden doorkruisen en uitnodigen om deze relatief onbekende streken te ontdekken.

Vele Finse skigebieden veranderen 's zomers in een waar paradijs voor de mountainbiker. In Lahti, Tahko of Levi bijvoorbeeld vinden mountainbikers gemarkeerde en voorbereide trails in verschillende moeilijkheidsgraden. In sommige plaatsen worden bovendien georganiseerde mountainbiketochten aangeboden. Dit is het geval in Zuid-Ostrobothnia, waar gedetailleerd geplande trips door de beide nationaal parken Lauhanvuori en Kauhanneva-Pohjankangas kunnen worden gemaakt.

Frankrijk

HET VADERLAND VAN DE TOUR

Fietsen zoals god in Frankrijk – zo zouden we een fietsvakantie in de grande nation kunnen omschrijven. Prachtige landschappen, betoverende culturele steden en een voortreffelijke gastronomie wachten op de enthousiaste fietsers – voor wie een keuze tussen alle verschillende routes en reisbestemmingen echter niet mee zal vallen.

In het hoge noorden lokt het heuvelachtige landschap van Bretagne en Normandië. Langs de Loire voeren de fietsroutes door de tuin van Frankrijk langs de mooiste kastelen van Europa. In het zuidwesten ademen oude steden, imposante vestingen en stille kloosters een middeleeuwse sfeer. Langs de Atlantische kust wachten heerlijke zandstranden. En in de Elzas beweegt u zich over eenzame wegen door de bergen van de Vogezen, langs leuke wijndorpjes en romantische stadjes.

In de Provence en de Camargue wordt u ondergedompeld in het fascinerende licht en de prachtige kleuren die de grote schilders van Frankrijk zo beroemd hebben gemaakt. Langs de Rhône doet u de verschillende centra van de westerse geschiedenis aan. En de Franse Alpen en de Pyreneeën bieden u fascinerende bergpanorama's.

Als u regelmatig de verslaggeving over de Tour de France volgt, weet u dat dit land de fietser een enorme diversiteit te bieden heeft. Het spectrum reikt van de gevarieerde etappes in het noorden, de vlakke en gemoedelijke etappes in het midden van Frankrijk tot de uiterst inspannende bergetappes van de Pyreneeën en de Franse Alpen in het zuiden.

In dit land zal iedereen zijn persoonlijke ideale droombestemming vinden en dit niet alleen bezien uit het perspectief van de fietser.

Als u geïnteresseerd bent in cultuur bieden zich door het hele land de routes langs historische steden aan. Wijnliefhebbers kunnen in de Médoc en de Bourgogne van wijngoed naar wijngoed fietsen. Wilt u een fietsvakantie verbinden met een strandvakantie, kunt u kiezen voor de Atlantische kust. En mocht u het fietsen willen combineren met culinaire geneugten, zult u in de Elzas of de Provence uitstekend aan uw trekken komen.

Het fietsen is in Frankrijk evenwel geen tot in detail gestructureerde onderneming. Er zijn slechts relatief weinig bewegwijzerde routes en veel fietstoeristen stellen zelf hun ideale route samen of nemen deel aan een georganiseerde fietsreis.

Inspiratie hiervoor kunt u vooral opdoen bij de Tour de France. Veel ambitieuze fietsers volgen het voorbeeld van de profrenners en zoeken bepaalde etappes uit de Tour op, zoals de loodzware beklimming van de Mont Ventoux.

Maar ook gezinnen kunnen in Frankrijk een gemoedelijke fietsvakantie doorbrengen. Speciale fietspaden
naast de wegen zult u hier echter niet gauw tegenkomen.
Maar de wielrenner behoort heel vanzelfsprekend tot het
beeld van het Franse wegverkeer en automobilisten zijn
hieraan gewend en houden doorgaans voldoende rekening met hen.

Groot-Brittannië

LINKS FIETSEN

Of het nu Engeland of Wales, Schotland of Ierland is: Groot-Brittannië is een natie die u fantastisch per fiets kunt ontdekken.

Het grote eiland is klein genoeg om het in alle rust binnen een week van west naar oost op de fiets te doorkruisen. U kunt ook besluiten naar een bepaalde streek te gaan, zoals naar het mountainbikeparadijs Schotland. Maar waar u ook heengaat in Groot-Brittannië, overal rijdt u hier in het verkeer links – een leuke bijkomstigheid.

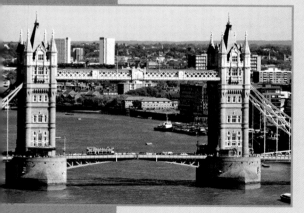

ENGELAND

Sappig groene countrysides en schilderachtige berglandschappen, eenzame moerassen en uitgestrekte zandstranden, historische steden en idyllische dorpjes: dit komt u allemaal tegen in Engeland. De National Cycling Routes zijn een uitstekende manier om op onderzoek uit te gaan in het land.

De bij fietstoeristen geliefdste, maar ook zwaarste fietsroute is de Sea-to-Sea-Route die over een afstand van 225 kilometer van het noordelijk Lake District naar Durham loopt.

Meer dan veertig procent van het traject bestaat uit autovrije wegen. Steeds weer zijn er knooppunten met andere routes van het National Cycle Network. Zo kunt u bijvoorbeeld overstappen op de fietsroutes The Three Rivers of de Coast and Castles.

SCHOTLAND

Majesteitelijk door bergen omgeven meren, prachtige kustlandschappen of paarse heidevelden – in Schotland staan fietsers vooral spectaculaire natuurbelevenissen te wachten.

Om in Schotland op ontdekkingstocht te gaan, is vooral de Lochs & Glens North Cycle Route erg geschikt, die van Glasgow naar Inverness door de Schotse highlands voert –

inclusief een bezoekje aan whiskybranderijen en Loch-Ness-watching.

Maar Schotland is niet alleen schitterend voor tochten over de weg. Het is ook een van de geliefdste mountainbikestreken van Europa. Voor mountainbikers zijn er trails en paden in verschillende moeilijkheidsgraden door een prachtig en gevarieerd landschap.

Wales

De oostelijke Celtic Trail is de ideale route om met de fiets de groene dalen, romantische dorpen, rustige landschappen en schaduwrijke bossen van Wales te ontdekken.

Op het meer dan 3000 kilometer lange traject hebt u uitstekend de gelegenheid om in de cultuur en de geschiedenis, maar ook in de fascinerende diversiteit van de natuur van Wales te duiken. Boeiend zijn bovendien de ruige, romantische kusten.

Noord-Ierland

Veel wegen, weinig auto's en ademberovende vergezichten zijn hier weggelegd voor fietsvrienden. De Loughshore Trail is de aangewezen route om op ontdekkingstocht uit te gaan. Langs de ruim 150 kilometer lange route ligt onder andere de Lough Neagh, het grootste meer van het Verenigd Koninkrijk.

Als u met een trackingfiets op pad bent, kunt u tussendoor ook eens op de gemarkeerde onverharde paden uitwijken. Tot de bezienswaardigheden die langs de route liggen, behoren ook het beroemde duizend jaar oude Keltische kruis in Ardboe en het spectaculaire spoorviaduct van Randalstown. En natuurlijk gaat de route ook langs de zee waar u in de eenzame baaien uitstekend kunt bijkomen van het fietsen.

Ierland

Fietsen op het groene eiland

Ierland behoort tot de reisbestemmingen waar u dankzij alle prijsvechters inmiddels voor zeer aantrekkelijke tarieven heen kunt vliegen voor een fietsvakantie. Het fietstoerisme staat hier nog in de kinderschoenen, maar op het wijd vertakte netwerk aan kleine en rustige wegen hebt u optimaal de gelegenheid om het land eens per fiets te bekijken.

Het Ierse verkeersbureau geeft informatie over vier bewegwijzerde fietsroutes die vooral de indrukwekkende pracht van dit land tonen. Hier komt u alle natuurtaferelen tegen die zo kenmerkend zijn voor het land – van de groene velden tot de ruige kusten. Veel gebieden kunt u bovendien ook heel goed offroad verkennen met de mountainbike of de trackingfiets.

Maar ook de geschiedenis en de cultuur van Ierland zijn de moeite waard. Het heuvelgraf Newgrange in County Meath is ouder dan de piramiden in Egypte en staat op de Werelderfgoedlijst van Unesco. Ook Trim Castle, een van de belangrijkste en grootste burchten van Ierland, is een bezoekje waard.

Ierland is dus een kleine geheime tip voor alle fietsfans die graag op ontdekkingstocht uit gaan en liefst zelf hun route samenstellen.

Italië

Fietsland zonder fietspaden

Tijdens de Giro d'Italia en het evenzo bekende Milaan-San Remo staat Italië geheel in teken van de wielersport. Honderdduizenden geestdriftige landgenoten applaudisseren voor de prestaties van hun grote wieleridolen – maar zelf stappen maar weinig Italianen op de fiets.

In tegenstelling tot zijn reputatie als wielersportland worden in Italië vrijwel geen recreatieve wielersporten beoefend. Als gevolg daarvan zijn er maar weinig fietspaden. Er is slechts één goed beschreven route. Deze route doorkruist heel Zuid-Tirol en Trentino en gaat van de Reschenpas langs de Adige tot aan Verona.

Al geruime tijd staat een 2000 kilometer lange fietsroute van de Alpen tot aan Sicilië in de planning: de Ciclo-
pista del Sole. Maar van een fietsroute zoals we ze uit vele
andere landen kennen, is op dit traject van de Brennerpas
tot aan Napels nog geen sprake. En zelfs de deeltrajecten
die sommige reisgidsen beschrijven, zijn eerder lokale routes dan een doorlopende fietsroute.

Vanwege de topografische kenmerken en de verkeerssituatie is Italië niet erg geschikt voor een gezinsvak-
antie per fiets. Voor fietstochten over vlakke trajecten komt
de Povlakte nog het meest in aanmerking. Voor getrainde
wielrenners heeft Italië echter het een en ander te bieden.
Vooral het Alpengebied kent moeilijke beklimmingen en
goede trainingsmogelijkheden.

Ook een fietstocht door de Toscane is zeer de moeite
waard. Maar hiervoor is eveneens conditie vereist, want
de meeste bezienswaardige culturele steden als Siena of

Lucca werden gebouwd op bergen en de beklimmingen vallen niet mee. Voor deze regio is een trackingfiets een goed alternatief voor de racefiets, vooral als u ook op secundaire, vaak ongeasfalteerde wegen wilt fietsen.

In het noorden van het land biedt Venetië fraaie fiets-mogelijkheden. Aan de voet van de Alpen wacht een heu-velachtig landschap met vele smalle secundaire wegen die goed te befietsen zijn. Ook hier komt u interessante cultu-rele steden als Verona of Bassano del Grapp tegen. Helaas behoort Venetië zelf niet tot de steden die u met de fiets kunt verkennen.

Mountainbikefans komen vooral in Noord-Italië maar ook op de eilanden Sardinië en Sicilië aan hun trekken.

Nederland

Als er een land is dat algemeen als fietsland wordt gezien, dan is het wel Nederland. Als we de statistieken moeten geloven fietsen Nederlanders meer dan veertien miljard kilometer per jaar – dat wil zeggen van groot tot klein gemiddeld 2,5 kilometer per dag.

Het is dan ook niet verwonderlijk dat er hier – hoewel maar net – meer fietsen dan inwoners zijn en er jaarlijks ongeveer 1,5 miljoen nieuwe fietsen worden verkocht. Deze getallen tonen aan dat Nederland met afstand Europees kampioen fietsen is.

De fiets hoort hier net zo bij het straatbeeld als de tulpen in het bloembed – overal zien we fietsers. Vooral ook in de grote metropolen als Amsterdam, Den Haag of Rotterdam is de fiets een van de belangrijkste vervoersmiddelen – en in Nederland kan men in tegenstelling tot veel grote Europese grote steden alle bezienswaardigheden uitstekend op de fiets bekijken.

Ook een fietsvakantie met het hele gezin is in Nederland goed te doen. Met name langs de kust kunt u een actieve vakantie combineren met ontspannende uurtjes aan het water.

De landelijke fietsroutes

Hoewel het in Nederland overal goed fietsen is, zijn er ook speciale fietsroutes, de Landelijke Fietsroutes of kortweg LF-routes. Ze zijn bewegwijzerd met de afkorting LF gevolgd door een nummer.

Met meer dan 6000 kilometer vormen deze routes een heel netwerk door het land en voeren door prachtige land-schappen, langs meren en de kust en door steden. Deze

routes hebben we te danken aan het Landelijk Fietsplat-
form. Het platform zorgt ook voor het onderhoud van de
trajecten, zodat fietsers hier altijd een gelijkblijvende hoge
kwaliteitsstandaard aantreffen.

De LF-routes zijn ook zeer geschikt om naar eigen
inzicht een routeplan op te stellen. Houdt u zich liever aan
de routebeschrijving, dan is de route Langs de Trekvaart
een echte aanrader. Tijdens de Gouden Eeuw trokken
paarden de trekschuiten door het land. Langs de vaart liepen de zogeheten jaagpaden waarover de paarden liepen
en deze paden zijn uitstekend te berijden met de fiets. Op
de meer dan 600 kilometer lange route kunt u Nederland
eens van een heel andere kant bekijken.

Noorwegen

RUIG LAND IN HET HOGE NOORDEN

Ruige, ongerepte landschappen en vooral de spectaculaire fjorden – dit en meer heeft Noorwegen zijn fietstoeristen te bieden. Vanaf de fiets kunt u de uitgestrektheid en pracht van dit land direct en intensief beleven.

Inmiddels hebben de Noren zich vooral op de sportieve fietstoerist gericht. De meeste gemarkeerde trajecten vergen een redelijke conditie. Onder de zestien fietsroutes vindt u routes die geschikt zijn voor gezinnen. Het spectrum wordt aangevuld door de vele lokale fietsroutes voor leuk dagtochtjes.

Voor mountainbikers heeft Noorwegen iets heel bijzonders in petto: het Pink-Park in het skicentrum van Geilo. Hier kan de mountainbiker zijn bekwaamheid in wallrides, dirtjumps, boxers en roadgaps laten zien. Op twee pistes kan de mountainbiker met hoge snelheid van de berg razen. En een express-stoeltjeslift brengt de fietsers naar de 1080 meter hoge top van de Geilo.

Voor degene die het land met een off-roadbike wil leren kennen, is de 'Avontuurstraat' een uitdaging. Deze route gaat van het gebergte in het oosten van Noorwegen tot aan de fjorden in de regio's Hardanger, Sogn en Fjordane.

Oostenrijk

HET ALPIENE FIETSPARADIJS

Oostenrijk is een vakantieparadijs voor fietsfans – en niet alleen voor sporters met ijzersterke conditie die de steile beklimmingen in dit land als perfecte uitdaging ervaren. Door het hele land lopen goede fietspaden die vooral voor gezinnen ideale toervoorwaarden bieden.

Het is dan ook niet verwonderlijk dat de Alpenrepubliek met zijn Donaufietsroute van Passau naar Wenen over een van de meest gereden routes van Europa beschikt. Meer dan 100.000 mensen – van jonge gezinnen tot krasse senioren – volgen hier tijdens de zomermaanden de loop van de Donau, van de Duitse grens tot de Oostenrijkse hoofdstad. Dit ontspannen fietsplezier wordt niet alleen mogelijk gemaakt door het veelal vlakke terrein, maar vooral door de uitstekende infrastructuur.

Pensions en hotels, eetcafés en restaurants, fietswinkels en werkplaatsen – door het hele land is men ingesteld op de fietsende vakantieganger. Naast de Donauroute zijn er andere routes die de loop van rivieren als de Inn, Enns, Mur of Drau volgen en waarvoor geen topconditie is vereist.

In totaal hebt u in Oostenrijk de keuze uit meer dan honderd gedetailleerd uitgewerkte routes. Veel routes verzekeren vooral gezinnen ontspannen fietsvakantiedagen.

En Oostenrijk heeft niet alleen prachtige natuur te bieden. Een hele reeks routes dragen een speciaal cultureel motto. Zo kunt u bijvoorbeeld in het Salzburger Land met de fiets in de sporen van Mozart treden.

Maar ook naast de speciale fietspaden treffen met name sportieve fietsers ideale voorwaarden aan. Veel bergritten zullen ook voor goed getrainde fietsers een uitdaging vormen, maar ze worden beloond met fantastische panorama's.

Niet alleen fietstoeristen en wielrenners komen in Oostenrijk aan hun trekken. Het toerisme biedt ook mountainbikers uitstekende voorwaarden. Meer dan 3500 kilometer off-roadroutes heeft het land voor de bikers uitgezet. Oostenrijk is daarmee een waar walhalla voor deze sporters.

In Kärnten bestaan bijvoorbeeld twaalf etappes in twee verschillende varianten. De schitterende wegen en trails kunnen met een speciaal roadbook worden gereden of op eigen vuist worden gevolgd met behulp van gps.

Zweden

BREDE WEGEN IN HET LAND VAN DE ELAND

Hebt u tijd? Veel tijd? Heel veel tijd? Dan bent u op de fietswegen van Zweden uitstekend op uw plek want het Zweedse fietsroutenet omvat duizenden kilometers. Alleen al de bekendste route van het land, de Sverigeleden ofwel Zwedenroute, doorkruist met een lengte van ruim 2750 kilometer bewegwijzerde fietswegen het hele land. De route gaat in 26 etappes van de veerhaven Helsingborg in het zuiden tot Karesuando, de meest noordelijke stad.

Als u graag langs de kust fietst, is de Cykelspåret een mooi alternatief. De tocht voert direct langs de kust van Ystad naar Haparanda. Daarnaast zijn er talrijke andere regionale trajecten die grotendeels over geasfalteerde of goed verharde en veelal autoarme wegen en straten voeren. Alle verwachtingen die toeristen koesteren ten opzichte van het land worden waargemaakt. In het weidse, veelal ongerepte landschap vindt de fietstoerist rust en ontspanning. En met een beetje geluk kruist nu en dan ook een eland uw pad.

Bij veel fietsvrienden is het eiland Gotland erg geliefd. De meeste routes voeren over vlak terrein. Bovendien zijn de afstanden tussen de verschillende plaatsjes niet al te groot, waardoor ze ook geschikt zijn voor fietsende gezinnen. Sommige routes hebben een speciaal thema. Zo kunt u bijvoorbeeld op de Astrid-Lindgren-Leden in de sporen van Pippi Langkous of de kinderen van Bolderburen fietsen.

Maar ook naast de bewegwijzerde fietsroutes kunt u Zweden op de fiets uitstekend verkennen. De meeste straten en wegen zijn ook zonder off-roadfietsen goed begaanbaar. Met een goede wegenkaart kunt u relatief eenvoudig fietsvriendelijke routes in uw vakantiegebied samenstellen. Maar let er met name in Noord-Zweden op dat u de lange afstanden tussen de plaatsen en overnachtingsmogelijkheden niet onderschat.

Zwitserland

WELKOM IN VELOLAND

De Zwitsers noemen een fiets velo en daarom presenteert het Zwitserse bureau voor vreemdelingenverkeer de Alpenrepubliek zelfbewust als veloland. Deze naam is terecht gekozen, want voor de fietstoerist staan in Zwitserland een van de modernste fietsroutenetten van Europa en een uitstekende service klaar.

En dat terwijl Zwitserland pas de laatste jaren zijn hart voor de fietstoerist heeft ontdekt. De Zwitsers hebben het echter goed aangepakt en miljoenen euro's in negen nieuwe fietsroutes geïnvesteerd en daarnaast een net van ruim veertig regionale routes uitgezet.

Zo ontstonden niet alleen fietspaden langs druk bereden wegen maar ook trajecten die naar toeristisch minder bekende plekjes van het land leiden. Dat hierbij kosten noch moeite zijn gespaard, toont alleen al het feit dat op sommige plekken speciaal voor fietsers tunnels door de bergen zijn aangelegd. En ook in de metropool Zürich fietst u ontspannen op speciaal aangelegde fietspaden.

Natuurlijk is Zwitserland met zijn bergen in eerste instantie een land voor de sportief aangelegde fietser. Toch zijn er ook routes die gerust gemoedelijk kunnen worden genoemd. En deze zijn ook voor een fietsvakantie met het gezin heel geschikt.

Een fietskaart hebt u niet nodig, want de bewegwijzering van de routes laat niets te wensen over. Niet alleen de routes zijn duidelijk aangegeven maar u treft hier ook aanvullende informatie aan, zoals mededelingen over het stijgingspercentage dat u de komende kilometers te wachten staat.

SPECIALE VERBINDINGSTREINEN

Maar dat is nog niet alles: langs de routes zijn speciale velostations ingericht waar u de fiets veilig kunt onderbrengen. In de steden en dorpjes zijn uiteraard ook de pensions en hotels volledig ingesteld op de behoeften van de fietser. In samenwerking met de Zwitserse Spoorwegen heeft men bovendien de mogelijkheid gecreëerd om met speciale treinen bepaalde etappes over te slaan of over te stappen op een andere route.

Ook op het internet blijkt wel hoe serieus Zwitsers de fietsers nemen. Op de homepage van het Zwitserse bureau voor vreemdelingenverkeer (www.myswitzerland.com) staan uitstekende beschrijvingen van alle fietsroutes en bovendien wordt hier actuele reisinformatie verstrekt over belemmeringen op de trajecten zoals werk in uitvoering of omleidingen.

Slowakije

DE PRACHT VAN DE KARPATEN

Slowakije behoort nog steeds tot de geheime tips onder de Europese fietslanden, hoewel het land over een zeer goed aangelegd fiets-routenet en een goede toeristische infrastruc-tuur beschikt.

In het hart van Europa, zoals Slowakije zichzelf graag noemt, staat de fietstoerist een mooi en gevarieerd landschap te wachten dat vooral wordt gekenmerkt door de Karpaten. De verschillende bergen die deze 1300 kilo-meter lange bergketen vormen, strekken zich in een grote boog uit van de hoofdstad Bratislava tot aan de Hongaarse grens. Het hooggebergte drukt ook een stempel op de fietsroutes. Het fietsen in Slowakije gaat er vrijwel nooit gemoedelijk aan toe, maar bete-kent steeds weer stevig trappen in de pedalen om de vele steile bergen te beklimmen.

Dit jonge land is dan ook vooral voor de meer erva-ren fietser een aanrader. Met name voor degene die een wat ongewone maar fascinerende reisbestemming zoekt.

Het indrukwekkendst zijn ongetwijfeld de vele nationale parken en natuurreservaten. Onder de gemarkeerde fietsroutes met een totale lengte van 6500 kilometer bevinden zich een flink aantal dat bijzondere natuurlandschappen doorkruist met unieke holen, kletterende watervallen en stille meren.

Maar uiteraard heeft Slowakije veel meer te bieden dan mooie landschappen. De fietsers die geïnteresseerd zijn in cultuur kunnen hun hart ophalen in Bratislava en langs de routes staan steeds weer voorname burchten en kastelen. Hoewel Slowakije vanwege de grote hoogteverschillen in het algemeen niet is aan te raden voor fietsende gezinnen met jongere kinderen, is er een uitzondering: u kunt de beroemde Donaufietsroute van Wenen verder vervolgen naar Bratislava.

Spanje

PELGRIMSTOCHT OP DE FIETS

Fietsen over een werelderfgoed kan alleen in Spanje. Wie over de wereldberoemde Camino de Santiago van Pamplona naar Santiago de Compostela fietst, legt hetzelfde traject af dat pelgrims sinds eeuwen lopen op weg naar het graf van de apostel Jacobus. En hoe schitterend de landschappen en hoe fascinerend de historische steden langs de route ook mogen zijn, de werkelijke bekoring van deze tocht over veelal onverharde wegen ligt in zijn spirituele dimensie.

Bijzonder zijn de Vias Verdes, vier fietsroutes langs verlaten spoorwegtracés. De relatief korte trajecten van maximaal vijftig kilometer zijn te vinden in Andalusië, Catalonië en Aragonië. De charme van deze routes gaat niet alleen uit van de prachtige landschappen maar schuilt vooral in de spectaculaire ritten over viaducten en door tunnels, waaronder de met 28 kilometer langste fietstunnel van Europa.

Met name het noorden van het land is geschikt om per fiets te ontdekken. En ondanks het enthousiasme dat de Spanjaarden vooral voor de Vuelta opbrengen, is Spanje geen uitgesproken fietsland. Hiervoor stappen te weinig Spanjaarden op de fiets. Er zijn dan ook weinig speciale fietspaden of parallelwegen naast de grote verbindingswegen.

Terwijl het op het Spaanse vasteland vooral voor de amateurfietser in de zomermaanden uiteindelijk veel te heet is om zonder problemen langere afstanden af te leggen, zijn de omstandigheden voor de fietser in Mallorca vrijwel het gehele jaar gunstig. De afgelopen jaren is hier veel gebeurd. De regering heeft honderden kilometers fietspaden aangelegd die vooral door het binnenland van het eiland en het onbekendere noorden voeren. En ook mountainbikers vinden inmiddels op het geliefde vakantie-eiland enkele aantrekkelijke trails.

Tsjechië

Indrukwekkend cultureel landschap

In eerste instantie stellen veel mensen dit land gelijk aan de duizend jaar oude culturele stad Praag. Maar zo hoofdstad, zo land. De kleine republiek heeft een groot aantal pittoreske stadjes, imposante burchten en kastelen en verscheidene historische gebouwen die door Unesco op de Werelderfgoedlijst zijn geplaatst.

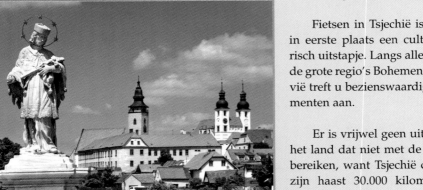

Fietsen in Tsjechië is dan ook in eerste plaats een cultuurhistorisch uitstapje. Langs alle routes in de grote regio's Bohemen en Moravië treft u bezienswaardige monumenten aan.

Er is vrijwel geen uithoek van het land dat niet met de fiets is te bereiken, want Tsjechië dingt met zijn haast 30.000 kilometer aan fietsroutes mee naar de titel van best ontsloten fietsland van de nieuwe EU-landen.

Uiteraard komen ook natuurvrienden hier aan hun trekken. Voor sportieve wegwielrenners en mountainbikers biedt met name het Ertsgebergte veel uitdaging. Maar ook het maken van een ontspannen toertochtje is in Tsjechië mogelijk, zoals over de net aangelegde fietsroute Wenen-Praag.

Praag vormt overigens voor vele internationale fietsroutes het eind- en kruispunt. U kunt bijvoorbeeld vanaf de Beierse grens bij Furth im Wald via gemarkeerde routes naar de Tsjechische hoofdstad fietsen. En vanuit hier vertrekken meerdere routes naar de mooiste landschappen en belangrijkste bezienswaardigheden van het land. En dus klopt het toch wel als we zeggen: wie naar Tsjechië gaat, ontkomt niet aan Praag.

Hongarije

Het hart van het Hongaarse toerisme klopt rond het Balatonmeer. Bij dit meer in het westen van het land bevinden zich de meeste vakantiehotels – en ook hier heeft men zich op de fietstoeristen ingesteld. Rond de 'Hongaarse Zee', zoals het grootste meer van Midden-Europa ook wel wordt genoemd, is de Balatonfietsroute uitgezet. Het traject is meer dan tweehonderd kilometer lang en doet over vlakke, nieuwe fietspaden of rustige wegen verschillende mooie uitkijkpunten op het meer aan. Aangezien er weinig beklimmingen zijn, is deze route zeer geschikt voor gezinnen met kinderen en voor senioren.

Als u iets meer uitdaging zoekt, kunt u vanuit het natuurgebied Klein-Balaton richting het heuvelland van Zala fietsen. Het traject, dat onder andere langs het middeleeuwse stadje Nagykanizsa voert, is beslist de moeite waard vanwege de indrukwekkende landschapspanorama's.

De beide routes behoren tot de vier langere fietsroutes die het Hongaarse bureau voor vreemdelingenverkeer aanprijst. Maar ook buiten de enkele goed bewegwijzerde fietsroutes – waaronder de internationale Donauroute van Wenen via Bratislava naar Boedapest – kunt u het land uitstekend per fiets verkennen. Vooral in de tien nationaal parken van Hongarije en langs de andere grote rivieren als de Drau of de Tisza bezit het land van poesta en paprika prachtige landschappen.

Langs de Tisza ligt het historische wijngebied Tokaj dat door Unesco op de Werelderfgoedlijst is geplaatst. Daarnaast zijn er in het hele land bezienswaardigheden die goed te bereiken zijn met de fiets, zoals de duizend jaar oude benedictijnenabdij van Pannonhalma. En natuurlijk is ook de in tweeën gedeelde Hongaarse hoofdstad met de historische burchtheuvel Boeda en de levendige grote stad Pest een uitstapje waard.

Register

Register van fabrikanten

Fotoverantwoording

126,136: Bikefriday, Freiburg, Duitsland; 149: Bio Racer, Tessenderlo, België; 158, 171, 187: BMC Racing, Grenchen, Zwitserland; 146, 156, 157, 166, 167, 169, 170, 172, 174, 177, 178, 179, 180, 181, 182, 183 184, 185, 186: Bruce Gordon, Petaluma, VS; 34, 40, 52, 54, 64, 65, 84, 85, 100, 101, 107, 118, 125, 142, 190, 192, 193, 197, 206, 207, 218, 230, 243, 251, 253, 255: Cannondale, Bethel, VS; 2, 3, 12, 14, 15, 19, 20, 21, 36, 39, 46, 61, 86, 87, 88, 89, 96, 97, 98, 99, 111, 112, 117, 236, 262, 271, 273, 277, 278: Centurio, Magstadt, Duitsland; 93, 165: Colnago,Cambiago, Italië; 151, 152, 199: Continental, Korbach, Duitsland; 38, 66, 67, 159: Corratec, Raubing, Duitsland; 94: Faggin, Grefrath, Duitsland; 113, 114: Felt, Edewecht, Duitsland; 226, 227: Florian Schaaf, Rödermark, Duitsland; 134: Flux, Gröbenzell, Duitsland; 128, 133, 176: Hase Spezialräder, Waltrop, Duitsland; 140, 141, 265: Heinzmann GmbH, Schönau, Duitsland; 33, 42, 43, 59, 72, 132, 139, 173: Hercules, Neuhof an der Zenn, Duitsland; 162, 164: Höni, Unna, Duitsland; 214: Jens von Graevemeyer, suedraumfoto, Espenhain, Duitsland; 263: Johannes Steinkühler, Unna, Duitsland; 260, 261: Jürgen Schossig, Kandern, Duitsland; 16, 17, 18, 25, 44, 45, 47, 48, 56, 57, 58, 70, 71, 161: Kettler, Ense-Parsit, Duitsland; 131: Kettwiesel, Waltrop, Duitsland; 55, 79, 252: Koga, Heerenveen, Nederland; 153: Magura, Bad Urach, Duitsland; 219, 250: Michael Hase, Unna, Duitsland; 147: Nöll, Fulda, Duitsland; 212, 213: Norman Lewandrowski, Borna, Duitsland; 78: Peugot, Parijs, Frankrijk; 73: Puky, Wülfrath, Duitsland; 228, 229: Rene Schulz, rscpfotoagentur/sportpict; 41, 122, 123, 135, 137, 138: Riese und Müller, Darmstadt, Duitsland; 74, 75; Schauff, Remagen, Duitsland; 150: Schwalbe, Reichshof, Duitsland; 148, 168: Selle Royal, Pozzoleone, Italië; 143, 144, 145, 160, 163, 175: Shimano, Stuttgart, Duitsland; 115: Storck, Bad Camberg, Duitsland; 29, 30, 31, 32, 35: Tanja Esser, Iserlohn, Duitsland; 92: Tobias Pehle, Medien

Kommunikation, Unna, Duitsland; 76, 77: Winora, Sennfeld, Duitsland; 257: Alfiofer; 240: Alison Cornford; 69: Amygdalaimagery; 275: Andreas Gradin; 242: Angela Jones; 110: Basslinefx; 279, 287: Bogdan Lazar; 282: Carlos Sanchez Pereyra; 272: David Bailey; 264: Denise Ellison; 116: Dimitry Khydiakov; 82: Elena Elisseeva; 266, 267: Eric Gevaert; 81: Ferenc Ungar; 121: Galina Barskaya; 248: Harryfn; 244: Irina Korshunova; 120: Isabel Poulin; 129: J.D. Grant; 270: Jakich; 286: Jan Krejci; 102: Jeff & Courtney Crow; 268: Jeremy Levy; 285: Jiri Castka; 90: Jonathan Larsen; 283: Juan Fuertes; 105: Juan Lobo; 284: Kaprik; 108: Lorenzo Puricelli; 83: Manuela Szymaniak; 91: Michael Klenetsky; 104: Mike King; 276: Mike Tan; 249: Milan Djokic; 246: Olaf Schlueter; 103: Onsite Photo Studio; 281: Pavol Kmeto; 49: Peter Zaharov; 241: Pictura; 254: Presiyan Panayotov; 259: Richard Hawkes; 238: Rolien Bosma; 247: Rony Zmiri; 80: Saniphoto; 53: Sebastian Czaprik; 60: Serban Enache; 51: Sergej Lavrentev; 154: Sergey Petrakov; 274: Sergge; 209: Shariff Chelah; 211: Shariff Chelah; 269: Socrates; 258: Stephen Bonk; 256: Stephen Rees; 50: Thomas Lammeyer; 188: Tom Schmucker; 280: Tomas Janik (alle dreamstime.com); 239: Andrzej Burak; 26: Ben Blankenburg; 24: Digical; 27: Jacek Chabraszewski; 68: Juan Lobo; 23: P. Wie; 22: Silvia Jansen (alle: iStock.com); 202: Brendan Gray; 204, 205: ccgt; 221: Coda2; 216, 224: Grant Mitchell; 195, 201: Jesus Roncero; 220: John Spooner; 217: Lisa Larsson; 203: Marcel Fleschhut; 225: Mikel Ortega; 119, 210: Neeta Lind; 223: Nicola Massa; 62, 63, 198, 200: Picasa 2.6; 234: Robert A. Whitehead; 196: Steve Mcfarland; 208: Velo Steve; 222: WhiskeyTangoFoxtrot

Medewerkers Medien-Kommunikation:
Tekst: Patrik Müller, Henning Mohr, Frank Winter
Redactie: Yara Hackstein (Ltg), Peter Richter, Clarissa Conrad, Anja Hülsebrock, Beate Engelmann
Productie: Mathias Hinkerode (Ltg), Britta Wirth